寝ても覚めてもパリが好き

PARIS
MANIAQUE

編著 **Huîtres**

イースト・プレス

INTRODUCTION

パリは右岸と左岸、どっちが好き?
ケバブよりファラフェルかなあ。

仕事の打ち合わせをしているはずが、いつの間にかパリの話に。尽きないパリのあれこれを2人だけじゃなくて、もっといろんな人と話したいし、聞いてみたい。そんな思いつきから本書はスタートしました。

取材したのは、過去にパリに住んでいたり、旅行で訪れて魅了された人たち。それぞれのパリでの経験は、そのまま仕事のヒストリーでもあり、豊かに、そして美しく生きるためのヒントでもあり、時にガイドブックには載らないリアルな街案内でもあり。

恋に落ちてパリ行きを決めた人もいれば、失恋してパリへ逃避行した人もいるし、パリの最前線で活躍したシェフやメイクアップアーティストも。
そして深くフランス語を愛する人、パリを訪れるたびに人生の転機が訪れる人...etc.

美しい街並み、ファッション、アート、食。それも欠かせないパリの宝物だけど、それだけじゃない。少し偏った、でも確実に彼らを虜にしたパリの奥深さが詰まっています。

パリの魅力を知るとともに、人生って何だか面白くて楽しい!読み終わったときにそう思ってもらえたら、嬉しいです。

Huîtres　福田麻琴・幸山梨奈

パリの景色
BEAUX ENDROITS DE PARIS

「花の都」と呼ばれるパリ。昔ながらの建造物を残し、
華やかで洗練された印象があります。
エリアごとにもそれぞれの特徴があり、
見慣れないパリの景色もあるはず。

SAINT GERMAIN DES PRÉS

サン・ジェルマン・デ・プレ

「ザ・パリ」らしいシックで洗練された街並みが広がる左岸を象徴するエリア。
元々は芸術家や知識人が集まる文化の中心の地でもありました。

ファッションも食も
街並みもパリを
味わうならここから

MONTMARTRE
モンマルトル

パリで最も高い丘があるモンマルトルは、
パリの美しい街並みを一望できる絶景スポットとして観光客に人気。

絶景の観光地と

リアルなパリが共存する

モンマルトル

▌QUARTIER LATIN
カルチェラタン

歴史的で美しい地区で、石畳の小道や古い建物が特徴。
パリの名だたる大学が集まり、学生たち向けのリーズナブルなお店も多いです。

穏やかな雰囲気の学生街。
気負わないカフェや
ビストロがある穴場エリア

LE MARAIS

マレ

パリで最も古い地区のひとつ。さまざまなブティックや
小さな広場もあり、アーティスティックな魅力が広がる場所です。

朝、夕暮れ、夜……
移りゆく景色の中で
変わらずに佇んでいる

LA TOUR EIFFEL

エッフェル塔

パリを象徴するエッフェル塔。
登ってパリの街を一望したり、
真下にあるシャン・ド・マルスで
ピクニックをしたり、楽しみ方はさまざま。

遠くから眺めても
真下から見上げても
美しいフォルムに圧倒

CHAMPS ÉLYSÉES

シャンゼリゼ

凱旋門からコンコルド広場を繋ぐシャンゼリゼ通りには
高級ブティックやカフェが軒を連ね、ショッピングや美食を楽しめます。

ブランドの真髄を
感じられるブティックは
買わずとも訪れる価値あり

017

パリで一番賑やかなエリアには
エアポケットのような
広場や公園がところどころに

カフェで隣りに座る
パリの人の止まらない会話も
醍醐味のひとつ

ÎLE DE LA CITÉ
ÎLE SAINT LOUIS

シテ島／サン・ルイ島

セーヌ川に浮かぶ小島。ノートルダム大聖堂、美しい橋、
古い建物が調和し、独特の雰囲気を醸し出しています。

荘厳で優美な
パリを象徴する建物が
いたるところに

023

運河沿いは自然と人が集まる
人気のピクニックエリア

▌CANAL SAINT-MARTIN
サンマルタン運河

映画『アメリ』で有名になったパリの東を流れる小さな運河エリア。
都会の喧騒を忘れて一息できる落ち着いた静かな場所です。

バゲットにケバブ、キッシュetc.食べ歩きたい気軽な"食"が充実

カフェとパン屋と同じく
お気に入りを見つけたい
フラワーショップ

BELLEVILLE

ベルヴィル

ガイド本になかなか載らない穴場エリア。世界中のあらゆる移民が集まり
暮らしているエリアで、パリにいながら異国感を味わえます。

歴史ある街並みと現実のパリが
複雑に交差する

BASTILLE

バスティーユ

バスティーユ広場を中心に、
活気のある若者文化が栄えるエリア。
歴史的な建造物とモダンな魅力が交錯しています。

若者たちの喧噪も心地いい
夜のバスティーユ

CONTENTS

MIYAKO TAKAYAMA

モデル
高山 都

たかやま・みやこ　10代の頃よりモデル活動を開始。その後、女優やラジオパーソナリティなど仕事の幅を広げ、近年では商品のディレクションなども手がける。自身の丁寧な生き方を発信するInstagramも人気を集め、著書『高山都の美食姿』(双葉社) シリーズ1〜4も好評発売中。フランス・ロワール地方の取材の際のトランジットで立ち寄ったパリに魅了される。

MIYAKO TAKAYAMA

　おいしいごはんも好きだし、器集めが趣味。もちろんワインも大好きだから、いつかパリに行ってみたいと思い、よくマネージャーさんにも話していました。

　そうしたら、フランス・ロワール地方での撮影のお話をいただいたんです。心の中では、ニアミス！　パリも行きたかったなあなんて思いながらも、ロワールでの撮影を楽しんでいたら、なんと帰りにトランジットで立ち寄ったパリで飛行機が飛ばなくなり、1泊することになったんです。翌日の夜7時の便に変更になったので、まずはすぐにおいしいワインとごはんを堪能し、翌朝は早く起きて行ってみたいと思っていたクリニャンクール（Clignancourt）の蚤の市を目指しました。行ってみたら思っていた以上に楽しくて楽しくて、夢中でまわり、手荷物で持てるだけの器やヴィンテージのスカーフなんかを買って帰ってきました。

　初めてのパリは、24時間もない滞在でしたが、日本に帰ってきてからも忘れられなくて。すぐにマネージャーさんに頼んでどうにかスケジュールを調整してもらい、2カ月後に10日間、プライベー

トでパリに行くことを決めました。それが2019年の12月のことです。もともとも具体的にここに行ってみたいとか、あれがしたいとかがあってパリに行きたかったわけでなく、漠然となぜか行ってみたいと思っていました。実際にゆっくりと滞在してみたら、やっぱりすごくしっくり来たんですよね。ロワールで取材していたときに立ち寄った大聖堂でも、入った瞬間にすごく懐かしい気持ちになって。こんなことを言うと笑われるかもしれないけれど「呼ばれたんだ」という感覚がありました。

このしっくり来る感覚は、何なんだろうと考えたときに思い至ったのが、パリというかフランスというか、ここに住む人も街自体も"根暗"なんじゃないかということ。コミュニケーション能力の高い根暗というか。なんだかもっといい言葉で表現できたらいいのですが……。からっとドライじゃなくて、どこか湿度があったり、陰影を感じたり。それは長い歴史のある国だからなのか、古きを大切にして受け継いでいく文化だからなのか。私自身の性格も同じくコミュニケーションは好きだけど本来は根暗。だからしっくり来たのかなと……。まだ数回、日数にしたら1カ月にも満たないですが、感覚が合って惹かれるのは確かで、2022年には結婚した夫とも一緒にパリを訪れました。

2度目、夫と行った3度目のパリも、どちらも真冬のこと。日本の寒さともまた違う、キーンと冷える石畳の街だからこそ、コートの襟を立てたり、きゅっとスカーフを首に巻いたり、そういうおしゃれが自然にできたのもいいなあと感じました。なんでだろうか、日本にいるとあまりしないし、ちょっと恥ずかしかったりするんですが、あの街にはそういうおしゃれの所作がよく似合うんです。

帽子にしてもそう。確かに冷えるので防寒でかぶっているとは思うのですが、寒さ対策だけでなくて、自分なりの美意識を忘れない、おしゃれを楽しむ気持ちを感じました。帽子の選択肢もさまざまで、ウールのハットだったり、ニット帽もいるし、カシミアのベレー帽の人もいて。

それ以外にも、おしゃれの選択肢が本当に幅広い。コートの着方ひとつとっても、足元のおしゃれにしても、ふたりとして同じようなスタイルの人がいないんじゃないかと思ったほど。たとえば日本の雑誌でスナップされるようなファッショニスタじゃない普通の人にもちゃんとそれぞれに美学を感じました。

私もファッションに携わる仕事をしているし、お洋服も大好きで、自分のおしゃれを楽しみたいと思っています。でも、日本にいると、どこかで人の目や意見が気になっている自分もいて……。だから人の目は気にせず、堂々と自分のスタイルを貫くパリの人は、見ていてとても心地よく、楽しかったんです。

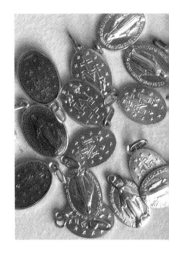

堂々としているのは、姿勢にも現れているんですよね。体型やコーディネートを気にするよりもまずは姿勢よく立って、颯爽と歩くことが素敵になる近道なんだなと気づかされました。

よくフランスの人はあまり多くの服を持たないと言われますが、よく見ているとその分すごく工夫をしているんですよね。昼と夜で、

出かける場所によって、リップの色を変えていたり、同じシャツで
も着方が違っていたりする。そんな発見もいっぱいあって、パリで
はずっと街ゆく人を眺めるているのが本当に楽しくて。

　そして「食」もパリ滞在の醍醐味。2回目も3回目も短期滞在で
きるキッチン付きのアパルトマンに泊まり、食材を買い込み、料理
をして、クリニャンクールの蚤の市で買ってきたばかりのお皿でい
ただきました。パリといえば、バゲットやクロワッサン、バターや
スイーツもおいしいですが、私が何よりも感動したのが野菜。味が
濃くて本当においしい！　サヴォイキャベツやセルバチコなど、日
本ではあまり見かけない野菜を買ってきては食べていました。中で
もサヴォイキャベツとシャルキ
ュトリーで買ったパンチェッタ
の塩気とオリーブオイルだけで
いただく煮込みは、忘れられな
い一番のお気に入りです。

　外食するときは、今のパリを
感じられるお店へ。セレクトは
東京に暮らしているときと同じ
く、たとえばヴァンナチュール
がおいしいお店。おすすめはア
ジアから中東までの広くオリエ
ンタルな料理にインスパイアされた「スプーン（Spoon）」。ヴァン
ナチュールが豊富な「ラタッシュ（L'Attache）」。若者で賑わってい
た「バンビーノ（bambino）」も料理がおいしくて、音楽もよかっ
たです。

MIYAKO TAKAYAMA

　これまでの旅の経験から、あまり欲張っていろいろなところを観光したりせずに、落ち着いて気に入ったところは何度も訪れて……という過ごし方ができたのは、大人になってから初めてパリを訪れたことの幸運かもしれません。

　必ずと言っていいほど、そして一度の滞在で2回行ったことがあるほど惹かれたのは、日本でも有名な「奇跡のメダイユ教会（Chapelle Notre-Dame de la Médaille Miraculeuse）」。繊細な淡いブルーの装飾で、優しい気に満ちていて、あったかいオーラを感じました。うまく言えないんですが、ずっとそこにいたくなる空気感がある。訪れたときにちょうどミサが始まって、言葉はよくわからないけれど、一緒に聖歌を歌い、祈りを捧げたことも。

　最後にもうひとつパリで学んだことを。それは目を見てコミュニケーションすることの大切さです。フランス語はあまりわかりませんが、それでもしっかりと目を見て、たどたどしくも、英語であっても伝えると、どうにか汲み取ろうとしてくれるんです。

　たとえばお店で、ちょっと素っ気なかったり意地悪な態度を取られたときも、じっと目を見て感謝を伝えたり、思いを伝えると、ちょっと心を開いてくれる気がしました。

　そして残念ながらスリに合いそうになったときも。しっかりと強い気持ちでキリッと睨む（関西弁でいうところの "メンチを切る" ですね笑）。もちろんそうもいかないこともあるかもしれませんが、それでもコミュニケーションの基本を体感することができて、それも改めていい経験でした。

MAKOTO FUKUDA

スタイリスト
福田麻琴

ふくだ・まこと　文化服装学院を卒業後、販売員、スタイリストアシスタントを経て、独立。ファッション雑誌を中心に活動の場を広げていく。30歳での失恋を機に、ワーキングホリデー・ビザを使って1年間パリへ留学。現在は雑誌、ウェブ、広告などでのスタイリングで人気を集めるほか、SNS等で発信する自身のライフスタイルにもファンが多い。近年は自ら書籍や連載を執筆するなど、文筆業にも力を入れている。近著に『MY BASIC,MY ICONS 10年後も着たい服』（イースト・プレス）『私たちに「今」似合う服〜新しいベーシックスタイルの見つけ方』（大和書房）がある。

　パリと私、そしてファッションの話は遡ること約30年前、まずは上野・アメ横から始まります。

　当時、埼玉の実家から一番近い東京の繁華街は上野。おしゃれをしたい盛りの中学生だった私はアメ横に通うようになっていました。最初に夢中になったのは、古着屋で見つけたアメカジです。チェック柄のシャツや小さめのロゴTシャツなど、当時の流行りを血眼になって探していました（笑）。通ううちにアメカジとはなんだか違うセレクトショップを発見します。そこで、妙に惹かれるアイテムがありました。アメカジのカジュアルとは明らかに違っていて、Tシャツやカットソーなのにどこかセンシュアル。それが「プチバトー（PETIT BATEAU）」に「セントジェームス（SAINT JAMES）」。私のフレンチカジュアルとの出会いでした。

　高校生になり、"私の街"はアメ横から渋谷になり、アメカジも卒業して、すっかり"オリーブ少女"に。そんなときに出会ったのがフランスのブランド、「アニエスベー（agnés b.）」です。カラフ

ルなアメカジとも、それまでに知っていたフレンチカジュアルとも
違う、モノトーンの世界。すっかり虜になり、カーディガンプレッ
ションやボーダーカットソーなど、当時の私にはなかなかお手頃で
はないアイテムでしたが、頑張って少しずつ買い集めました。

　この頃は、ファッションのひとつとしてフレンチに憧れてはいた
ものの、まだパリという街の魅力には気づいていませんでした。フ
ァッション好きが高じてスタイリストになるべく文化服装学院へ進
み、アシスタントを経て、晴れて独立。がむしゃらに働き、担当す
る媒体も広がり、プライベートも順調だったはずの私に大きな転機
が訪れます。失恋です（笑）。

　このときに「人生は何が起こるかわからない。だからやってみた
いことは何でも挑戦してみよう」と決心したんです。それで真っ先
に思い浮かんだのが留学。子どもの頃から実家には近くの大学の留
学生がホームステイをしていたこともあり、留学は身近な存在で、
ぼんやりと憧れがあったのです。いくつかワーキングホリデー・ビ
ザで行ける国の中から、いずれ帰ってきたらまたファッションの仕
事がしたい、友人がいる、初めて行ったとき街並みに感動した、そ
の3つのポイントでパリを選びました。

　行ってみたら「フレンチシック、可愛い」「街がきれいで素敵だな」
レベルではなく、一気にパリに魅了されてしまいました。いちばん
影響を受けたのは、つねに「自分は自分」なパリの人たち。

　パリに来る前の私はファッションが好きではあったけれど、自分
が何を着たいか、どうしたいかよりも流行に気持ちが傾いていたし、

人の目に自分がどう映っているのかも気になっていました。でも、パリの人たちときたら、まったく気にしていないし、自分がいいと思うならどんな格好でもOK。たとえノーブラでも「それがあなたのスタイルなのね！」と。

　留学前に仕事をしていた媒体からのオファーで、たまにパリの街中でスナップ撮影をすることがありました。初対面の私にパリジェンヌたちは「私って青が似合うじゃない？」「黒ニットとデニムといえば私だから」と話が始まるのです。いやいや、初対面だし、あなたのスタイルなんて知らないよ〜！　と思いつつも、みんながちゃんと私はこういうスタイルが似合うというのを熟知していることに驚きました。

　忘れられないパリジェンヌのスタイルと言えば、パリコレ会場の前で見かけたフランスの俳優さん。ネイビーのコートにエルメス（Hermès）の黒のコンスタンスを斜め掛けしていた姿があまりに素敵で。いたってシンプルだし、配色も落ちついた雰囲気。それなのに大勢の中ですっと際立つスタイルがずっと忘れられず、帰国後もずっと同じバッグを探し続けけたほど。今ほどSNSもネットも盛んではなかったので、あの彼女が誰だったのか今もわからないのが悔やまれるところです。

　留学中には、新たなフレンチファッションとの出会いがありました。「イザベルマラン（Isabel Marant）」です。ボーダーやモノトーンだけじゃない、少しストリートで、エスニックな雰囲気も持ち合わせたブランドで、パリジェンヌのリアルな好きがぎゅっと詰まったアイテムがとても新鮮でした。今もアニエスやセントジェームス

と並んで大好きなフレンチブランドです。

　まだ住んでいたい気持ちもあったけれど、ビザも終わるので帰国して、スタイリストに復帰。それからは、仕事で、プライベートで、毎年のようにパリを訪れ、友人たちに会ってはグラスを傾け、街を歩き、カフェや公園に行っては素敵なパリマダムを観察して、刺激を受けています。

　一度、雑誌の取材で高校生の頃から憧れ続けていた「アニエスベー」のデザイナーであるアニエス・トゥルブレさんにパリで取材する機会にも恵まれました。

　その佇まいやチャーミングな笑顔、着こなしも本当に素敵でますます好きになりましたが、いちばん心に残ったのは「いちばん大切なものは?」と質問したときの答えです。何度か結婚もされているし、5人のお子さんがいらっしゃる方なので、子ども、パートナー、恋愛、家族、仕事など……いろいろ想像していたのですが、彼女の答えは「女友達」。パートナーは別れるかもしれないし、子どももいつか巣立ってく。年齢を重ねても、他愛のないメッセージのやりとりをしたり、一緒にレイトショーを見に行ったり、おいしいご飯を気兼ねなく食べにいける女友達を大切にしなさいって。続けて「日本の女性はもっと自由になっていい」ともおっしゃっていました。

　今もまだ子育て真っ只中ですが、当時は今以上に子どもに手もか

かっていたので、女友達との時間から少し疎遠になっていました。でも、彼女の言葉を聞いて、家族との時間はもちろん大切にしたいけれど、同じくらい女友達との時間を持とう、そして妻でも母でもなく、"個"であることを意識しようと決めました。

　パリで暮らす人、パリという街から影響を受けたこと、学んだことはまだまだあります。パリは世界各地からの移民がいて、エスニックがおいしい。特に今も訪れるたびに食べたくなるのが、ベルヴィル（Bellville）にある「パンダ（Panda）」のベトナムサンドウィッチ、バインミー。仕事以外の趣味の時間を大切にし、休むことの大切さ。昔から旅は好きで仕事の合間にパッとひとり弾丸で行くことも多かったですが、今は先に旅の時間を確保するようになりました。ときに日本だとまだわがままと取られてしまうこともあるけれど、思いや意見をきちんと自分の言葉で伝えること。そして周囲の言葉も思いも尊重すること。パリの人たちは本当におしゃべり。でも、そのおしゃべりは他愛のないこともあるけれど、ちゃんと意志や思いを伝え合い、意見が割れるとしても理解しようとする時間でもあるんですよね。

　コロナ禍を経て、2023年の秋に5年ぶりにパリを訪れました。新しいお店もたくさんできていたし、ずっと好きだったのになくなっていたお店もありました。そして以前よりもぐっと英語にフレンドリーな街になっていたことも驚きでした。でも、何よりも変わったのは、私の視線の先。以前はパリマダムたちのファッションを憧れの視線で追いかけていましたが、今回の滞在では圧倒的に若者たちのファッションに興味津々。きっとこれは、私がマダムに片足くらいは仲間入りを果たせたってことなのかなと嬉しくなりました。

MASAYUKI SHIBUYA

SANS DÉCONNER オーナーシェフ

澁谷将之

しぶや・まさゆき　神戸出身。26歳か
らフランス料理の世界に入り、修行のた
め渡仏。パリの名店でスーシェフを務め
たのち現地で独立。修業時代から含め、
約10年フランスで腕を振るう。2018年
に帰国し、東京・渋谷区松濤にSANS
DÉCONNER（ソンデコネ）〈東京都渋谷
区松濤2-13-10　tel.03-6479-4625〉
を構える。2023年には、渋谷区代々木
上原に兄弟店のTU DÉCONNES（チュデ
コンヌ）〈東京都渋谷区上原1-24-13
tel.03-5761-6315〉をオープン。

MASAYUKI SHIBUYA

　ずっと料理の世界にはいたんですが、チャラチャラしてたし、かなり適当（笑）。フレンチの世界に進んだのはわりと遅くて、たしか26歳のとき。出身地の神戸の店で働き始めました。シェフがフランスでの修行を経験していたので、このまま本格的にフレンチでやっていくなら本場を経験しておいたほうがいいかなと思って渡仏しました。

　今はあるのかわからないのですが、当時は働く店を紹介してくれる業者がいたんですよ。最初に働いたのは、南仏のモンペリエ。そこにはほんの数カ月だけいて、次はイタリアとの国境沿いの街マントンのレストラン「ミラズール（Mirazur）」。ここには1シーズンいて、やっぱりパリの店で働きたいという思いが強くなった。その時点で僕は29歳。まだフランスのワーキングホリデービザがギリギリ申請できる年齢だったので、応募して、パリの店で働き始めました。

　修業時代を含めてパリでは働いたのは4軒。中でも影響を受けたのは、今は「ル クラランス（Le Clarence）」でシェフをしているクリストフ・ペレ。彼が当時やっていた「ビガラード（Bigarrade）」で、僕はスーシェフをしていたんですが、彼は料理も人も面白かった。ビガラードはこじんまりした店にもかかわらずミシュラン二つ星。それ自体かなり異例のことだったのですが、シェフは二つ星に満足できず、急に店を閉めちゃったんですよ。ミシュラン三つ星になるには料理以外に店の設備などの基準もあるから、しょうがなかったんですが。その後は別の店でシェフをして、日本に戻ってきました。1年の修行のつもりが、気がついたら10年経ってましたね（笑）。

　日本だと修行中は失敗したら怒られるのが当たり前、やり直しは当然というような空気があるけど、フランスで僕が出会ったシェフは違ったんですよ。結構な高級店でしたが、失敗したとしても「それが今日のベストならいいよ、明日はもうちょっとよくしてね」というスタンス。失敗を恐れて萎縮することがなかったから、楽しい、面白いと思いながら料理ができた。それが10年いることになった理由のひとつだと思います。

　フランス人のいい意味で"いい加減"なところも僕には合ってました。時間を守らないとか、レジでずっと並ばされるとか、そういうのも全然苦じゃなかった。あと、彼らはみんなおしゃべりで食事を本当に楽しんでくれるから、店に活気があって、それも好きなんですよ。良くても悪くても、好きでも嫌いでも、ちゃんとリアクションをしてくれるのも作る側としてはよかったです。
　東京で店を開いた当初は、満席になっても店が静かで驚いたし、ずっと携帯ばかり見てるカップルに「携帯置いて、会話しいや」と

か言っちゃったこともあった（笑）。余計なお世話ですよね。今は慣れましたが、やっぱり遠慮なくしゃべって笑って、楽しく食事してもらえたらとは思いますね。

　仕事も楽しかったし、パリという街もよかった。休みになれば、散歩して、飯を食いにいって。散歩なんて住んでいるエリアで同じようなところを歩いているだけですが、それでも全然飽きない。気軽に食べられるケバブもパン・オ・ショコラもピザも好きだったし、日本食を食べなくても問題なかったんですよ。

　好きでよく行ってたカフェは、マレにあるコーヒーがうまい「オブラディ（Ob-La-Di）」。僕のパリで唯一と言っていいくらいの日本人の友人が働いている店です。

有名ですが、レストランなら「ル・シャトーブリアン（Le Châteaubriand）」にはよく行きます。最初に行ったときにも衝撃を受けましたし、いつ行っても料理は最高だし、スタッフも最高。もともとオーセンティックな老舗の店だったところを買い取って、名前とある程度のデザインは残して、まったく新しい店になっていて、料理は前衛的でいつ食べに行っても刺激を受けています。

　なぜかパリではひとり公園でぼーっとしたり、カフェに入ったり、飯食ったりできるんですよ。もちろん最初は友達もいなかったからしょうがなくという部分もありましたが、帰国した今、ひとりで動けるかというとできない。食事すらひとりで行けないんです。何なんですかね（笑）。パリにいると、いい意味でもみんな人のことを気にしないから気楽だったんですかね。

　参考になるかわからないけれど、10年修行をしていたときに、僕がしていたことや気づいたことを最後に。

　できるだけ日本人とは交流せずにフランス人や他国から来ている人達と仲良くしていました。働く店を選ぶときも日本人がいないところを選んでいたし、僕が入ってからは日本人の履歴書が届いたら破り捨ててた（笑）。どうしても日本人が近くにいるとつるんじゃうだろうし、日本語もしゃべっちゃう。それだとフランスに来ている意味がないなと思って、意図的にまわりに日本人がいない環境を作っていたんです。

　言葉はまったくわからない状態で行ったけど、1年経たないくらいで、ある程度問題なく仕事ができるレベルに話せる状態になりました。まあ、そこから9年はほとんどレベルアップしませんでしたが（笑）。もちろん語学ができるに越したことはないけれど、料理の修業をするという点では、言葉がわかるよりもシェフがすることを同じように再現できること、求められていることにさっと気づいてできるようになることのほうが重要なんですよ。特に気がつくという点では、フランス人よりも僕に限らず日本人のほうが圧倒的にできるから、日本人は採用されやすいみたいです。責任感もあるし、

時間も守るし。

　ちなみに渡仏して最初に働いた店は、正直なところつまらなかった。他で働きたいと思ったけれど、特にツテがあるわけでもないので、ミシュランガイドに載っているフランス全土の店に、片っ端から働きたいって手紙を送ったんですよ。それで最初に電話がかかって

きたのが、マントンのミラズールだった。その後も、他の店からも何軒か電話がかかってきました。まだ渡仏数カ月なので、本を見ながら見よう見まねで書いた手紙だったし、語学もまだまだだったけど、動いてみたらなんとかなった。

　フランスで料理の修業をする日本人も僕がいた10年の間にだいぶ変わってきました。当初はある程度修行したら日本に戻って店を出すことが目標という人が大半だったけど、今はそのままパリで働き続ける人が多い気がします。

　僕もずっとパリで働き続けようかなという思いもあったけれど、帰国して店を出して、6年が経ち、2軒目も出すことができた。僕の店は東京にあるけれど、パリで刺激を受けた店のような、素敵な"料理"をこれからも作り続けていこうと思います。

TAMAE OKANO

ヘア＆メイクアップアーティスト
岡野瑞恵

おかの・たまえ　資生堂に入社し、ヘア
＆メイクとして活躍。その後、フリーラ
ンスで活動を開始。確かな理論とトレン
ド感のあるメイクで、女優、タレントか
らの指名も多い。著書に『大人がきれい
に見えるメイク』(光文社)、『大人のMake
Book』(ワニブックス) などがある。

TAMAE OKANO

　パリには、もう数えるのをやめたくらい何度となく訪れています。そのほとんどが仕事ではありますが、忘れられない特別な経験ができました。

　最初に訪れたのは、たしか27歳か28歳のとき。資生堂で働いていて、パリコレにも何度か行かせていただきました。当時は「クレ・ド・ポー ボーテ」のクリエイターをステファン・マレーがしており、彼の担当していたメゾンや資生堂が協賛していた、マルタン・マルジェラやジョン・ガリアーノ、ジャン=ポール・ゴルチエなどのバックステージでヘアメイクアシスタントをしたり、ショーを間近で見ることができました。

　パリコレ出張スタッフで当時いちばん若かった私は帰国後に発表するレポートを作るのも仕事。モデルの写真を撮りつつ、ヘアメイクのポイントをメモするなど……。あの頃のパリコレは、ナオミ・キャンベルやケイト・モスなど誰もが知るスーパーモデルばかり。張り詰めた空気のバックステージで、ちゃんとメイクが見えるよう

に写真を撮るのがとても大変でした。なんとか片言の英語で話しかけるものの通じなかったり（笑）。

初めて行ったときは、iPhoneもGoogle MAPもなかった時代だから、コレクション会場をミシュランの地図に印をつけて、ひとりでメトロを乗り継ぎ、会場へ。不安だったので相当早くに出かけ、親切に教えてくれた年配の方たちのおかげでなんとか行き着くことができました。特に観光名所を歩いたわけではないですが、パリの街並みは朝も昼も夜も、いつ歩いても美しくて本当に素敵。高層ビルといえば、「モンパルナス・タワー（Tour Montparnasse）」くらいなので、空が広いなあと感じたことをよく覚えています。

美しい街並みを見られて満足していたし、観光客に見られたくないと思っていたからか、オフの時間に先輩方が気を遣って「どこか観光したいところはある？」と聞いてくれても「別にありません」なんて答えちゃって。若かったですね。きっと現地に溶け込みたい気持ちもあったし、観光よりも街ゆく人を見ているほうが楽しかった。当時は歩きたばこしている人も多くて、その光景に「かっこいいなあ」なんて思うほどにはかぶれていました（笑）。

パリコレ以外では、初期の「インウイ」のディレクターだったセルジュ・ルタンスが新たに立ち上げたコスメブランドの打ち合わせで行ったこともありました。

彼は資生堂の文化を担ったひとりで、ヘアメイクだけでなく、香水を作ったり、映像や写真でも才能を発揮する"フランスの知性・哲人"とも呼ばれるアーティスト。細やかで厳しく、でも彼の研ぎ

澄まされた感性は素晴らしくて。打ち合わせの場所はホテル・リッツ（Hôtel Ritz）、服装は必ず黒のスーツが決まりでした。当時の私は緊張しながらも、より日本人に合う色をセルジュ・ルタンス本人に提案したのを覚えています。彼は私の意見も聞いてくれたし、生み出すカラークリーションはやっぱり素晴らしかったですね。

　この後、資生堂を辞めて、フリーランスになるのですが、そもそも私が最初にパリに興味を持ったきっかけが資生堂だったんです。早くからパリの文化を日本に紹介していたのが資生堂で、私もしっかりその影響を受けていました。文化を大切にする企業精神にも憧れ、資生堂のヘア＆メイクになりたい、いつかパリへ駐在したいという思いで入社したんです。
　決まりかけていたパリ駐在は最終的に叶わなかったけれど、何度となくパリコレに参加したり、世界的なアーティストと仕事するなど、夢のような経験ができました。

　その後、フリーランスになってからも、パリとの縁は続きます。
　独立直後にはありがたいことに、当時パリに住んでいた女優さんのヘア＆メイクをさせてもらっていて、撮影があるとパリに行っていました。

　別の同い年の女優さんとは、何度も仕事でパリに一緒にいきました。雑誌の特集では、その女優さんやスタイリストさんと一緒にパリで雑貨巡り。映画の撮影ではモンマルトルのホテルに10日間ほど滞在しました。その後、テレビ番組の収録でふたたびパリへ。
　どれも仕事ではありましたが、女優さんもパリが大好きだったので、本当に楽しい思い出です。

　ふたりとも大好きなインドの手紡ぎ生地のブランド「カディー＆コー（Khadi and Co）」で、思い出だからと勢いで色違いのコートを買ったこともありました（笑）。映画の撮影で滞在したときにスタッフの方たちが薦めてくれて知った鶏料理の名店「ル・コック・リコ（Le Coq Rico）」は、次に行ったときも必ず訪れたいほどお気に入りです。

　2度だけお休みでパリに行ったことがあります。朝早く起きて、オペラのあたりからチュイルリー公園（Jardin des Tuileries）をランニングしたり。滞在は3日間で本当に短かったけれど、生活している"フリ"ができて楽しかったですね。

　他にもたくさんの素敵な外国の街はありますが、何度となく行っても、また行こうと思う街は私にとってはパリだけのような気がします。理由のひとつは、エレガントで大人がかっこいい街だから。街ゆく人たちがおしゃれでスタイルがある。年配の方もきれいにおしゃれをしていてかっこいいんですよ。あとは何度も行っているからこそ街の変化もわかるし、多少は土地勘があって落ち着くのも理由のひとつかもしれません。

　私が行き始めた25年前とでは、日本人に対するパリの人たちの態度も変わったんじゃないかな。片言の英語しか話せなかった私もよくないですが、なんとなく冷たい雰囲気を感じることもありました。もちろん道に迷っている私を親切に助けてくれた人もいたので、大きくパリの人で括ることはできませんが。最近はとてもフレンドリーで日本の漫画が好きだからと話しかけてくる人も多い。日本の漫画、恐るべしです。

そしてパリは、がむしゃらに一生懸命に働いていた若い頃の自分を思い出させてくれる場所でもあります。街の空気を吸うと、私も頑張ってきたなあと思えるんですよね。

いつか10日間くらいゆっくりとお休みでパリに滞在してみたいというのが私の目標。早起きして、天気が良かったら走って、ゆっくりと目的もなく歩いて街を眺め、気になったお店にふらりと入って、疲れたらおいしそうなお店でシャンパン飲んだり……。「メゾン・ド・ラ・トリュフ（Maison de la TRUFFE）」でトリュフリゾット（Risotto à la truffe）も必ず食べたいし、ゆっくり洋服も見に行きたい。お土産にはやっぱりキッチュなエッフェル塔のキーホルダーかなあ。

あとは一般公開されるようになった7区にあるセルジュ・ゲンズブールの家（Musée de la maison Gainsbourg）も行ってみたい場所のひとつ。ゆっくり観光もしてみたいですね。仕事で行くと気が張っているのか最後にオフがあっても体調を崩したて寝込んだりしていることがわりとあって、しっかりと観光はしたことがないんです。若いときは「別にないです」なんて言ってたけれど（笑）、今はじっくり観光をしたい気持ちもあるんですよ。

ASAKO MAKIMURA

文筆家
牧村朝子

まきむら・あさこ　2009年からモデル・タレントとして活動。フランス人女性のパートナーと知り合ったことで、2012年から4年間、パリを始めとするフランスでの生活を経て、日本へ帰国。現在は文筆家として執筆活動をしていて『ことばの向こうに旅をして』(産業編集センター)『ニマーリさんのスリランカ・アーユルヴェーダ』(イースト・プレス)などの著作がある。

ASAKO MAKIMURA

　私がパリに住むことになったのは、フランス人女性と恋に落ちたから。

　それまでの私とパリやフランスに辛うじて何かつながりがあったとすれば、ミュージシャンのカヒミ・カリィが好きだったことくらい。彼女がフランス語で歌うのを聴いて、あんな音のきれいな言語が自分の口から出てきたら幸せだろうなあとぼんやりと思ったことはありましたが、遠いし、自分とは縁のない場所だと思っていたんです。それが、「もうすぐ日本のビザが切れてフランスに帰るから、一緒に行かないか」と誘われ、すぐに行くことを決めました。

　私は当時まだ20代だったこともあり、まずはフランスのワーキングホリデービザを取得して、愛する人の元へ向かいました。それからは、心を揺さぶられるような出来事の連続でした。

　例えば、移民局が開いている"フランス市民になるための教室"で、こんな出来事がありました。

　2012年当時のフランスでは、同性婚の法制化に向けて動いている最中で、いずれ成立するだろうと先生が話してくれました。そのときに教室に諦めのような馬鹿にしたような嫌な笑いが起きたんです。すると先生が「今、なぜ笑ったの？ これからできるであろう法律は、あなたたちみんなが生きる国の法律なんだから、笑うのは間違っている」とはっきり言ったんです。投票権のない移民も、笑われて言い返せない同性愛者も「みんなが生きる国」の一員だとして議論を投げかけた姿に、感動で心が震えたのを覚えています。

　実際にその法律は2013年に制定されました。正確にいうと、それは同性愛者のためだけのものではなく、結婚を性別問わずすべての人に開く法律だということで「みんなのための結婚（mariage pour tous）」と呼ばれています。

　私もPACSというフランスの"異性あるいは同性の自然人たる二人の成人による共同生活を組織するために行われる契約"というパートナーシップ制度を経て、2013年にフランス人女性と結婚しました。

　今、あげたことだけを見ると、フランスは「自由・平等・博愛」を掲げ、それを体現するために努力する素敵な国だなとも見えるし、たしかにそういう面は多分にあるとは思います。でも、それは同時に、法制化したり、スローガンとして掲げなくてはいけないほど、衝突や争いが多いからだとも言えるんです。

　実際に歴史を振り返れば、よくわかりますよね。フランスがアフリカのマグレブ諸国をはじめとした諸地域を植民地支配したことが

ASAKO MAKIMURA

分断をもたらし、経済格差や内戦を生み、フランス国内の移民・難民と現地民の対立が煽られる現在に繋がっています。フランスは核を保有し、他国への軍事介入を続ける国です。

パリ、そしてフランスが好きか嫌いかと問われたら、私の場合、それ以前に人間が大嫌い。地球環境を汚染し、武力衝突を繰り返す、人間の一味でいるよりも、立ってるだけで大気を浄化する木になりたい、というのが本音ではありますが、人間として生きていかなくてはいけない中、4年間住んだパリで教えられたこともあります。

それは、「怒っていい」ということ。どうしても日本にいると、和を乱すな、察しろ、といった同調圧力を感じます。怒ることが好まれず、怒るのはかっこ悪い、子どもっぽいよくないことと思われがち。そしてその風潮があるから、いじめが起こっても見て見ぬ振りをしたり。私も中学生の時、自分に火の粉が降りかかるのを恐れて、加害者も傍観者も被害者までも一緒に笑う嫌な空気に流された経験があり、今でも後悔しています。

フランスで出会った多くの人は、流されずに怒るのです。たった一人でも、他人のためでも。いじめは犯罪とされ、中学生の授業中

の逮捕も報じられました。フランス語ができないことで不当な労働環境に置かれた日本人移民の職場に一緒に抗議に来てくれたフラン

ス人も、ある宗教の集会に対するテロ行為に別々の色々な宗教の信徒たちや無宗教の人たちが抗議デモを行った光景も、胸に残っています。

　フランス語には「râleur」という言葉があります。なかなか訳しづらいのですが、私の実感から日本語訳をつけるとするなら「愛情半分で文句を言う人」。ブツブツと不平不満を言いながらも、ずっとそのことを話している。そんな様子を表した言葉です。

　人間は、間違います。何かを創るつもりで壊し、正義をやるために悪を名指す。ストと革命と裁判離婚を繰り返すフランスの人たちを見ていると、人間が生きるってこんなにもみっともなくて、ぐちゃぐちゃなんだ、でもこれが生きていくということなんだと、泥沼を泳ぐ気迫が湧きます。

　フェミニズム運動の世界的な先駆者であるオランプ・ド・グージュという女性も、パリで暮らした中で知ることができました。

　フランス革命後の1789年に出された、当時は画期的だったフランスの「人権宣言」でさえ、そこに書かれている"人"とは男性であって、女性は含まれませんでした。それに異を唱えて、女権宣言

─────
ASAKO MAKIMURA

を訴えたのが、オランプ・ド・グージュです。彼女がいたからこそ、今もフランスには女性権利省という省庁があります。もちろんそれはまだまだ女性の権利が弱い部分があるということの裏返しではあるのですが。

　話が大きくフランス社会のことに広がりましたが、個人に戻すと、2015年、4年住んだパリから（正確にいうと最後の1年はパリの大気汚染が耐えられず、郊外に住んでいました）、結婚したパートナーとともに再び日本に拠点を戻しました。その後、彼女とは紆余曲折あり離婚しました。

　今もときどき大切な人たちに会うためにパリやフランスに行くことがあります。もちろん、なんて臭くて大気汚染のひどい街なんだろうと文句を言いながら……ではありますが。

　最後に少しだけパリのおすすめスポットを。
　ひとつはLGBT関連書籍専門書店「レ・モ・ア・ラ・ブーシュ（Les Mots A la Bouche）」。
　文芸書や芸術書、インテリアやライフスタイルにまつわる雑誌に写真集など、世界中から集められた感度の高い書籍は、見ているだけでも楽しめます。

　そしてクイア＆フェミニストの集うバー「ラ ミュティナリー（La Mutinerie）」もぜひ。お店のウィンドウはいつも張り紙や落書きでいっぱいで、外観自体が政治的な議論のための掲示板のようになっていて、行くたびに興味深くのぞいています。

YU TAKEICHI

「HItsuki（ヒツキ）」デザイナー・
かごバッグ作家
武市 由

たけいち・ゆう　大阪府出身。グランド
スタッフとして航空会社に勤務後、結婚
を機に退職し、東京へ移住。約10年の
専業主婦を経て、以前から興味があった
かごバッグ制作を開始。2018年にかご
バッグのブランド「HItsuki（ヒツキ）」
をスタートさせた。2023年２月にはア
トリエ兼ショップを東京・代々木にオー
プン。

YU TAKEICHI

　24歳で初めてパリへ行ったとき、まったくピンと来なかったんです。でも、約15年後、再び訪れて、大好きになりました。

　初めて行ったときは、航空会社に勤めていた頃で、リーズナブルに飛行機に乗れたこともあり、旅行好きの父と一緒に行きました。ロンドンにも行ったんですが、そちらも良さがわからずじまい。仲が良い父と旅行できたのは楽しかったですが、特に印象に残ることもないまま帰ってきました。その後、アメリカに行ったり、台湾に行ったり、旅行はしていましたが、ヨーロッパは行くことはありませんでした。

　初めてのパリから2度目までの15年の間に、仕事を辞め、結婚して引っ越し、娘を出産して……。ライフステージの変化もあり、私の価値観が少しずつ、でも大きく変わり始めました。

PARIS MANIAQUE 06

　大阪出身だからなのかわかりませんが、20代の頃はずっと"安い"がいちばん良いことだと思っていたんですよね。そのモノの背景にあるストーリーにも興味がなかったし、こだわってモノを買うということがなかったんです。

　でも結婚して東京に住み始めたら、たまたま私が知り合う人たちが、すごく考えて、こだわってモノを買うタイプだったんです。とにかく安く、次々に新しいモノを買っていた私とはまったく逆（笑）。でも意外とその考え方に共感して、少しずつ影響を受けていました。結婚した夫もイギリスの革靴が好きで、上質なものを長く愛用したいタイプ。

　そして、振り返ってみると、私の父はアンティークが好きで、子どもの頃から古くて長く愛されているものに囲まれていたんです。そうした影響や気づきを重ねるうちに私の価値観も変わっていきました。

　それと同じ頃、仕事を辞めて、専業主婦だった私は、つねにモヤモヤしていたんです。とにかく何かを始めたくて、レザーバッグを作るワークショップに行ったこともありました。すぐに近くの革専門店を調べて、交渉して材料を譲ってもらうほど最初は勢いがあるんです。でも、その後、なんとなく作らなくなって……。子どもの頃からアクセサリーを手作りしたり、ミシンを使うのが好きでしたが、どれもそれなりに作れるようにはなるものの、極めることなく、中途半端に終わってしまう。

　それを繰り返していた中で、ふと自分がアメリカのナンタケット

や台湾のかごなど、いろいろ集めていて、かごバッグが好きだった
ことを思い出しました。そのときにかごバッグが作れるようになり
たいと強く思ったんです。そして、絶対に今回は中途半端にせず、
極めたいとも。

　すでに30代も後半になっていましたが、まずは習いに行って、あ
とは独学でひたすらかごバッグを作り始めました。自分でも満足で

きるバッグが作れるよう
になったら、少しずつま
わりに欲しいと言ってく
れる人が出てきて。その
後ネットでも販売するよ
うになり、数年かけてか
ごバッグを作ることが仕
事になったんです。

　2度目のパリは、かご
バッグにのめり込み、ま
さに仕事として軌道に乗り始めたとき。バッグ作りでアウトプット
が続いていたので、何かバッグ作りのヒントが欲しいと思っていた
タイミングでした。

　初めてのときはピンと来なかったパリですが、東京に移住後、自
分でもはっきりわかるほど価値観が変わっていた私は、今回のパリ
はきっと楽しめるだろうとは思っていました。
　でも実際は楽しめるどころかすっかりパリにハマってしまったん
です（笑）。

　パリの古くて美しい建物、そして可愛いお店、おいしいご飯、貴重な絵画が山ほどある美術館にも感動しましたが、何よりも驚いたのが朝の空気。朝起きて、出かけようと外に出たとの空気にすごくワクワクさせられたんです。あの感覚は上手く説明できないのですが、今までに味わったことのない感覚でした。

　パリに来た大きな目的はかごバッグの材料探し。アンティークレースを蚤の市で探したり、手芸店でリボンなどのパーツを買ったり、自作のかごバッグをパリの街で撮影したり。

　蚤の市は、事前にかなり調べて、有名で大きなところよりも小さな市に状態のいいアンティークレースがあることが多いとわかった

ので、行ける限りの蚤の市にまわりました。滞在の大半がバッグのために奔走していましたが、その間に行ったお店にも感動しました。

　老舗の「ブイヨンシャルティエ（Bouillon CHARTIER）」で食べたアボカドの小エビソースがおいしかったし、「メルシー（Merci）」での買い物も楽しかった。ずっと私の材料探しに付き合ってくれた娘が、パリの街の中のところどころにあるメリーゴーランドに乗って楽しそうにしていたのも、「ボントン（BONTON）」で髪を切ってもらっていたところも、

忘れられない幸せな光景です。

あまりにハマって、翌2019年にも家族でのパリ行きを計画。このときはいろいろトラブルが重なり、パリは経由するだけで北欧中心の旅に。　でも、　行きたいと思っていた「ウルトラモッド（Ultramod）」というリボンやボタンが並ぶ老舗の手芸店をリサーチする中で、パリ在住の刺繍家の方とInstagramのDMを通じて知り合うことができました。パリでの対面は叶わなかったのですが、その後にかごバッグにかけるレースに刺繍をしてもらってコラボバッグを作ったんです。

パッと興味は持って、いろいろ調べて始めるものの中途半端に終わってしまう、自分の性格がずっとイヤでした。でも、アクセサリー作りもレザーバッグ作りも、今のかごバッグ作りに生きているし、徹底的に調べたり、ダメ元でも連絡してみる性格は、パリでの材料探しのリサーチにも生かされました。

今は彫金を習って、ジュエリーを作れるようになりたい。パリのショップに私のかごバッグを置いてもらうのも夢だし、いつかはパリでひとり旅もしてみたい。どこまでできるかはわからないけれど、止めずにちょっとずつでも続けていけば、いつかどこかへ繋がるかもしれない。そして人生は一度だけ。そう思いながら、今日もかごバッグを作っています。

——

PARIS MANIAQUE_07

MITSUNOBU
HOSOYAMADA

アートディレクター
細山田光宣

ほそやまだ・みつのぶ　細山田デザイン
事務所を主宰。『dancyu』『GOETHE』『こ
どもちゃれんじ』などの雑誌、ライフス
タイルから医療専門書まで多彩な書籍を
手がけている。ブックデザインと並行し
て、活版印刷スタジオ「Letterpress
Letters」も運営。現在は、パリにもス
タジオを構え、東京とパリの2拠点生活
を送っている。細山田デザイン事務所名
義で『誰も教えてくれないデザインの基
本』(エクスナレッジ)、『「悩まない」配色
の基本 好きな色から考える』(翔泳社)、
『一生役立つ「伝わる」デザインの考え方』
(ナツメ社)、『細山田デザインのまかない
帖 おいしい本をつくる場所』(セブン&ア
イ出版) を出版している。

　僕の初めての海外旅行先がフランスでした。後に妻になるガール
フレンドがフランスのトゥールに留学していて、僕もイギリスに留
学するところだったので、その前にちょっと寄ることにしたんです。
東京—パリの往復チケットを買って、まず降り立ったのがシャル
ル・ド・ゴール空港。そこからどうやって彼女の待つトゥールへ行
って、その後、留学先までどうやって行ったのか。フランス語はも
ちろんできないし、英語だってこれから学びに行くくらい。それで
も、なんとかなったんですね（笑）。

　留学先がイギリスだったのは、その大学が寮費込みで67万円と
いう破格の授業料だったから。特にロンドンカルチャーは興味があ
ったわけではなく、英語を学ぶこと、外国で生きていけるノウハウ
を身につけられたらいいなくらいの気持ちでした。行ってみたらイ
ギリスは公共のグラフィックデザインがよくて社会に根付いていた。
そのことは、その後の僕の仕事に大きな影響が与えています。

　妻が仏文専攻で、フランス系企業に就職したこともあり、フラン

スとの縁は続くのですが、振り返ってみると、僕自身の根底にもパリ、フランスの文化が流れていました。

　学生時代は原宿にあったビストロでギャルソンをしていて、まかないでポトフとかパテとかフランスの料理を知りました。イギリスの留学先に持っていった唯一の日本語の本は尊敬する、グラフィックデザイナー堀内誠一さんの『パリからの旅』。日本語が恋しくて、ボロボロになるまで読みました。今も大事に持っています。その後、この本を持ってヨーロッパをバックパックで巡りました。

　ロンドンからは予定通り、1年で帰国。今思えば、もう少しいてもよかったんですが、現地で経済誌のフォーブスなんかを読むと、当時の日本はバブル絶頂期で、こんな好景気が長続きするはずはないと書いてあって。それを読んで怖くなり、早く日本で就職せねばと焦って帰国したんです。

　すぐに広告制作会社に入るんですが、2週間で辞めて、エディトリアルデザインを学ぶために雑誌「BRUTUS」のデザインチームに入りました。同じマガジンハウスの「POPEYE」も好きだったけど、自分には「BRUTUS」のほうが合っているなと。企画を自分で考えて誌面を作って持っていたら、いいじゃん、と採用。どちらも尊敬する堀内さんがデザインを手がけた雑誌でしたが、僕が働き始めたときには、すでに亡くなっていたのは、残念でした……。

　そこからは怒濤の日々がスタート。毎日が忙しくも充実していて、3年後にはデザイン事務所も立ち上げました。10年ほど経ったとき、妻がフランスへ駐在することになったんです。娘も4歳になってい

て、妻の会社からは「旦那さんも一緒に行くなら、仕事紹介するよ」なんて言われましたが、事務所を運営しているし、仕事もとても抜けられるような状態になかったので、妻と娘、妻の両親がフランスに行き、僕は毎月フランスへ通うことになりました。金曜の夜に日本を発って、翌々週の月曜日の朝に戻ってくる、だいたい月の1/3はフランスで、残りが東京。今と違って、気軽にリモートワークできる環境がある時代でもなかったので、フランスに行く前の1週間はほぼ徹夜。フランスにいる間は多少ゆっくりできましたが、帰ってくると時差ボケで、治った頃には旅立つ前の徹夜の1週間という（笑）。家族に会いたかったので、頑張っていましたが、4年半くらい続けていたら体に異常を出てきて。そうこうしているうちにちょうど妻のフランス駐在が終わり、ちょっとホッとしましたね。

　家族が住んでいたのは、パリ郊外のサン・クルー（Saint Cloud）という街。僕が滞在している間は、朝と夕方に娘の学校の送り迎えをして、その間に仕事をしたり、パリを散策に行ったり。ギャラリーやアートブックの書店をのぞいたりしていました。日本では情報が手に入らないことも多かったから、たとえば60年代のアートムーブメント、フルクサス（Fluxus）にまつわる書籍を探したり、パリ滞在中はインプットの時間にしていました。

　今でもあるおすすめのアートブックストアは、サンマルタン運河（Canal Saint Martin）沿いにある「アルタザール（Artazart）」。真っ赤なファサードが目印。あとは北マレにある「Ofr.」もいい。アートのコンセプトショップを始めたり、面白い試みをしていて、いつも気になる店です。サンマルタン運河周辺は、今でもパリの一番好きなエリアです。

　食べるのは好きなので、マルシェで新鮮な食材を買ってきたり、パリのレストランにもできるだけ行ったりして。当時、スーパーの「モノプリ（Monoprix）」にレトルトのような簡単に食べられるおいしい惣菜があったんです。アラン・デュカスとかジョエル・ロブションとか錚々たるシェフが監修していて、結構おいしかったんですよ。あとは鴨のコンフィの缶詰も日本に持ち帰っていました。温めるだけでよくて、缶に残った油でじゃが芋を炒めるとおいしくて。どちらもかさばるし重いけれど、日本での食生活も充実させたいし、事務所のみんなにも食べさせたくてよく買ってきてました。

　フランスと行き来する4年間は、日本にいるときは会社に寝泊まりするような忙しい数年間だったけれど、フランスでは、食生活は充実していたし、街歩きも楽しかったし、勉強にもなりました。ただフランス語はほとんど上達しなかった。こんなにもフランスに通っているのになぜだろうと考えたら、家族に会いに行っているだけなので、フランス語に接する機会がほとんどなかったんですよ（笑）。

　妻が帰国してからは休暇でフランスに行くようになり、その後、娘が高校からロンドンへ行ったので、会いに行く前後にパリへ寄ったり。そんな感じでパリと僕は繋がっています。

　そして、レタープレス（活版印刷）事業を始めてからは海外にも拠点を作りたくて、パリにもスタジオを構えました。どうしても日本にだけいると閉塞感もあったし、拠点があれば行き来も気軽にできて、新しいことも考えられる。最近は、パリに行くついでにレタープレスの同志たちに会うことも多いです。エリアは地元のパリジャンたちが遊びに来るゴンクール（Goncourt）。フードカルチャー

も盛り上がっていて、このエリアで僕ほど食べ歩いている人はいないんじゃないかというくらいに、いろいろな店に行っていますよ。

　中でも今、僕がハマっているのは中華。フランス人を中心にしたチームでプロデュースしていて、グラフィックや内装の雰囲気もいい「グロバオ（Gros Bao）」。パリ好きの中国人がパリジャンのために西安料理を作っている「ザオ（La Taverne de Zhao）」もいい。新しい店は、料理だけでなくて、インテリアやデザインにもコンセプトが通っているから、ごはんを食べながら勉強にもなるんです。

　妻が駐在していた20年前とはパリの食文化も大きく変わりました。当時は、若者のワイン離れがよく話題になっていたけれど、ヴァンナチュールが出てきてからは若者もワインを飲むようになったそうです。以前は料理もポーションが大きくて、前菜とメインのふた皿を食べきるのが大変で、毎回フードファイター気分（笑）。料理をシェアするのもマナー違反だったけれど、今は分け合うスタイルの店も増えて、外食がしやすくなりました。

　今後はパリのスタジオを拠点に、ヨーロッパでもレタープレス事業を進めていきたい。今までは何となく過ごしてきたけれど、そろそろ本格的にフランス語の勉強が必要な時期になったのかもしれませんね。

PARIS MANIAQUE_08

YOKO YAMA

モデル・女優
山 葉子

やま・ようこ　10代の頃からモデル・
女優として活躍。最近はタロットカード
に惹かれ、自ら読み解いたメッセージを、
音声配信「VOICE」やオンラインサロン
「ヨーコさんの部屋」で発信し、好評を
博す。20歳から語学学校に通いながら
約1年半パリに滞在。約20年後の41歳
をになった2022年に2度目のパリへ。

　私にとってパリは人生の転機をもたらしてくれる街です。

　15歳から雑誌『mc Sister』の専属モデルをしていて、パリといえば若い女の子の憧れだったので、パリジェンヌを意識した服を誌面でもよく着ていました。ボーダー、白いソックスにローファーにかごバッグ、小道具でバゲットを持ったり……。でも、当時の私はといえば、そこまでパリに憧れる気持ちはなくて。それなのになぜパリに住むことになったかといえば、母のひと言がきっかけでした。

　モデルの仕事も始めて5年が経ち、20歳になろうとしていた頃、人生に迷っている私を見て母が「パリに留学してみたら？」と言い出したんです。

　母は大学時代にフランス語を学んでいたこともあり、3人いる娘のうち誰かひとりでもパリに留学してくれたら……という密かな期待があったらしくて。私自身は美術の勉強をしていて、もっと学びたいなという気持ちもあり、その提案に乗ることにしました。

　一旦、モデルの仕事を休止して、フランス語のアルファベットの発音の仕方もわからないまま、電子辞書だけを持ってパリに行きました。わりと初期の頃に短期で滞在したアパルトマンの大家さんがとても親切な方だったので、出るときにどうにか感謝の気持ちを伝えたいと思い、電子辞書の例文を見て、単語を並べて手紙を書いて渡したんです。私としてはかなり頑張ったし、なんとか伝わるだろうと思ったら、そうは甘くなくて。「何を書いているかまったく意味がわからない」と言われました（笑）。

　母の提案に乗ってのパリ留学でしたが、これを何とか人生の転機にしたい、ちゃんと自分と向き合いたいという思いもあったからか、「パリにいる日本人とは絶対にコミュニケーションを取らない」という枷を自分にかけていました。いま思えば、そんな枷なんていらないのにとも思うんですが、かっこつけたいところもあったんでしょうね、若さ故のパンクな精神というか（笑）。

　その枷もあり、もともとパリに興味があっていろいろと調べてからやってきたわけでもなかったので、滞在した1年半は淡々としたものでした。語学学校に行って、家ではデッサンをしたり、自画像を描いたり。散歩をしたり、マルシェに出かけたり、たまに美術館を訪れて……。

　人生に迷っていたし、もともと内省的な性格。それなのに、アパルトマンのお隣りさんに「みんなでパーティしているから、遊びにおいでよ」と声をかけられてお邪魔したり、街で話しかけられて一緒にカフェでおしゃべりしたり、ということがたまにありました。街ですれ違う人に「その服、素敵ね」とか「髪がキレイだけど、ど

このシャンプー使ってるの？」なんて話しかけられたときも、自然に答えていました。

　自分でも不思議ではありましたが、使う言語が変わると人格も変わるというか。まだジェスチャー混じりではあったものの、フランス語でコミュニケーションを取るときは新たなペルソナが生まれる感覚があったんです。日本ではなかった、その気軽でオープンなコミュニケーションがフランス語だとできる。そして、そんな自分が嬉しかったことをよく覚えています。

　この感覚は、その後の自分に少なからず影響しました。日本に帰ってきてからもフランス人のように「その服、素敵ですね」とカフェで隣り合った人に話しかけてみたり。もちろんひとりで過ごしたい人もいると思うので、大丈夫そうな空気を感じたら、ですが（笑）。

　もうひとつパリ留学で忘れられないのが、「オルセー美術館（Musée d'Orsay）」で出会ったモネ（Claud Monet）の絵です。

　もともと印象派の中でも、光に溢れ、明るくて柔和な絵が好きだったので、間近で見たくてオルセーに行きました。でも、強く惹かれたのはまったく趣が違う作品でした。モネの『エトルタの荒海（Grosse mer a Etretat）』です。描かれているのはフランス北西部ノルマンディー地方の断崖絶壁で知られるエトルタ。それも荒れた海。どんよりとしたブルーとグレーでとても暗くて厳しい絵。片隅にある小さな絵でしたが、とても美しくて、そこから動けなくなり、2時間以上立ち尽くしていました。迷っている自分がゆるされた感じがして、少しだけ心が軽くなったんです。

その後も淡々としたパリでの日々を過ごし、1年半後、たしか24歳になる頃に帰国しました。理由はあまり覚えていなくて、もういいかなと思ったのかビザのことがあったからなのか。というのも、帰国後から私の人生が大きく違うフェーズに入り、めまぐるしい変化があったからなのです。

帰国をして半年もしないうちに出会った人と結婚して、子どもを出産。母となり、子育てが中心の人生が始まりました。そして、そ

の数年後には今も私のライフワークとなっているタロットにも出会います。すっかりパリから遠くなっていたんですが、2022年10月に"呼ばれる"かのように再びパリを訪れることになりました。

留学していたときから20年のときを経て、パリの街自体も、住む人も変わったところはあったと思いますが、それ以上に私の感じ方や視点の変化に感じた1カ月の滞在でした。

パリという街は引きで見た景色ももちろん美しいけれど、細かなディテールも素晴らしくて。たとえば、街灯や橋などのちょっとしたディテールにも聖人や動物のモチーフなどが施されているんです。

タロットを勉強したこともあり、それぞれが表す意味もわかって眺めるとまた違って見えました。

　立ち尽くしたモネの絵『エトルタの荒海』も、20年ぶりに見に行きました。当時に味わった震えるような感覚はなく、一枚の絵としての素晴らしさ、そして作家であるモネに思いを馳せながら見ることができました。もちろん今もまだ迷うことはあっても、人生でしたいこと、すべきことが見てきた自分の変化を感じました。

　そして昔からキャッチフレーズのように言われ続けていることですが、「パリは愛を体現する街」ということを強く感じました。

　「愛」と言ってしまうと広すぎますが、人がみんな人生を楽しもうという意識で繋がっているんですよね。仕事もするけれど、プライベートな時間を大切にして、晴れたら喜んで外に出て、満喫する。街中でバイオリンを弾く人もいれば、絵を描いている人も至るところにいて、芸術を大切にしている。あらゆることに愛を持ち、繋がっている街だからこそ、世界中の人が憧れ、惹かれ、集まるのかな、と。人生二度目の滞在では、その気持ちをたくさんチャージできたし、きっとこれからの時代にはパリで感じたような分断じゃなくて愛で繋がることが必要だと痛感しました。子どもを持ち、40代になった今、来ることができたことにも、とても意味を感じましたし、これからの人生で自分の向かう道も確認できた気がします。

　パリという街は、私に人生の二度の転機をもたらしてくれました。次に行くことになるのはいつなのか……。今から楽しみで仕方がありません。

MOKO KOBAYASHI

刺繍家
小林モー子

こばやし・もーこ　刺繍家。文化服装学
院卒業後、服飾メーカーにてパタンナー
として勤務。2004年に渡仏し、パリに
あるエコール・ルサージュ（École Lesa
ge broderie d'Art）にてオートクチュー
ル刺繍を学び、 ディプロムを取得。
2010年に帰国し、刺繍アクセサリーの
制作を本格的にスタートすると同時にア
トリエ「メゾン・デ・ペルル」を主宰。
ヴィンテージビーズなど刺繍材料の買い
付けのため、毎年パリを訪れている。

　子どもの頃から服を作ることに興味があり、文化服装学院へ進学しました。卒業間近の頃、東京・渋谷のBunkamuraで「パリ・モードの舞台裏」という展覧会があったんです。

　そこには、刺繍、ジュエリー、プリーツ、羽根など、オートクチュールを作り上げるのに欠かせない工房が集まり、なかなか見ることのできない、仕事や作品が展示されていました。そこで一気にオートクチュール刺繍へ興味が湧き、オートクチュール刺繍の学校、エコール・ルサージュがあることを知ったんです。卒業後すぐにでも行ってみたかったのですが、先生から「日本で働かずに海外へ行くと、戻ってきて日本で働こうと思っても働き方が違いすぎて難しい」という話を聞いたので、まずは日本で就職することに。パタンナーとして４年ほど働き、留学の費用を貯めました。

　余談ですが、私が留学する直前にルサージュがシャネルに買収されて、学費が跳ね上がってしまって（笑）。どうしようかとも思いましたが、もともと留学をしたいとう話も会社の方たちにもしていて、快く送り出してくれたので、予定通り留学しました。内心はお金大丈夫かなとひやひやしていましたが。

　ルサージュでは、週5日しっかりカリキュラムが組まれていて、課題も多かったのですが、刺繍にどっぷりと浸ることができ、私にとっては満たされた時間でした。

　週末には蚤の市へ行って、刺繍に使うヴィンテージビーズなど探しに行ったり。料理人やメイクアップアーティスト、フラワーデザイナーなど、アートを志す友達もできて。フェット（ホームパーティ）ではシェフの友人がごはんを作ってくれたり、お金はなかったけれど、毎日が楽しかったですね。

　あるとき、蚤の市で変わった動きをしているおじさんがいて、フランス語で「日本人？」と尋ねられたんです。よくよく話してみると、向こうも私を見て変わった動きをする子がいるなあと思っていたらしくて（笑）。彼は半世紀近くパリに住んでいる画家の大月雄二郎氏で、交流が深まるにつれ、コラボレーションするようになりました。

　ちょうどその頃は1年の学校が終わってディプロムも取得でき、帰国するかどうか迷っていたときで。コラボ作品を作るのも楽しかったですし、フランスの友達や知人も増えて、やっとパリの楽しさがわかってきた時だったので、そのまま残って仕事をすることにし

085

MÔKO KOBAYASHI

ました。コラボ作品や刺繍アクセサリーを制作しながら、私個人ではウエディングやジュエリーのアトリエでも仕事を始めました。

　大月氏は顔も広く、ユニークな人脈の持ち主でした。私が作品制作に使っていたサンジェルマン・デ・プレ（Saint-Germain-des-Prés）近くのアトリエも、紹介してくれた親切な方が無償で貸してくれた部屋でしたし、普通に過ごしていたら出会わないような知り合いがたくさんできました。

　最終的にパリには7年いましたが、帰国するきっかけのひとつはブログです。当時はブログが流行っていて、私もパリからオートクチュール刺繍について書いていて、「刺繍を教えて欲しい」というメールがよく来るようになっていました。同じ頃、働いていたアトリエに日本の百貨店の海外バイヤーの方が来たことがきっかけで、日本で催事をしないかということになりました。

　パリでの暮らしも作品作りも充実はしていたのですが、もっと自分の刺繍作品を極めていきたい気持ちもどこかにあり、今がタイミングなのかもしれないと思い、帰国することにしました。

　帰国後は、アトリエ「メゾン・デ・ペルル」を設立し、刺繍アクセサリーの制作を本格的に始め、刺繍教室もスタート。デザインが

まだ3つくらいしかない中、百貨店の催事が決まり、猛スピードで作品を製作したことを思い出します。ワークショップをさせてもらったりしながら、その後も催事や広告などでその百貨店とはお仕事を一緒にしています。

拠点を日本に移してからも、刺繍材料の買い付けで年に2～3回はパリへ行っています。卸しの専門店や地下倉庫、時には個人のお宅にも行き、週末の蚤の市では毎回会う業者のおじさまに情報を聞

いてまわります。夜になると友人と食事を楽しむというのが滞在時のルーティーンです。

私が材料を買っている場所はクローズドなのですが、もしパリでビーズなどの刺繍材料を買うなら個人でも入ることの出来る「フリードフレール (Fried Freres)」がおすすめです。

ごはんを食べるならクスクスがおいしい「シェオマール (Chez Omar)」、日本人のご夫婦がやっている「ルソリレス (Le Sot l'y Laisse)」もおすすめです。

パリに行くと買ってしまうのが、シーズン毎に新しいプリントが出る、「モノプリ (Monoprix)」のトーション。プリントが毎回面白

くて、ついつい手が伸びます。子どもが小さい頃は、子ども服もモノプリで買っていました。あとはフランス最古のガラスメーカーの「ラ・ロシェール（La Rochere）」のグラス。分厚くて割れにくいので日常使いにちょうどいいんです。

　もっと頻繁に行けるようにとアパルトマンを借りた時期もありました。結局コロナ禍になってしまい解約しましたが、デザイナーで建築家のシャルロット・ペリアン（Charlotte Perriand）が住んでいたという部屋で、なかなか面白い物件だったんです。その建物も左岸でしたが、7年住んでいたときも13区や14区。アトリエもサンジェルマン・デ・プレでしたし、百貨店はやっぱり「ボンマルシェ（Le Bon Marche）」が好きです。左岸が落ち着くんですよね。

　7年過ごしたパリでは親切で優しい人もいっぱい居ましたし、私のようにモノ作りをしている人に敬意を持って応援してくれるので、楽しく生活できました。ただ、どの街に住んだとしても、いい面もあれば、悪い面もわかってくる。だから行き来する今のスタンスがちょうどいいなと思っています。

　話がちょっと飛びますが、いつかマダガスカルに住んでみたいという夢があります。もう20年近く前ですが、サンジェルマン・デ・プレで、たまたまマダガスカル刺繍を教えている先生と知り合いになったんです。その刺繍が本当に可愛くて。マダガスカルはフランス語圏ですし、動物も好きなので、いつか住みたいという淡い思いがなんとなくずっと頭にあります。日本でオートクチュール刺繍を広めたいし、世界中の刺繍に触れることで、たくさんの文化や手仕事を学んでみたい。まだまだしたいことがいっぱいです。

yUKI

メイクアップアーティスト・
ビューティイノベーター
「BISOU」創設者
yUKI

パリのメイク学校CHRISTIAN CHAU
VEAU（クリスチャンシュボー）を卒業し
ディプロム取得。国内外のファッショ
ン誌やショー、広告で活動。女優・モデ
ルからの指名でメイク担当することも。
自身のブランドBISOU（ビズゥ）は、手
軽で地球に優しいEarth-friendlyをコン
セプトにミニマムで無駄を省き、プロ
フェッショナルに展開している。

yUKI

　ずっとイギリスの音楽やファッションが大好きで、本当はロンドンに住むつもりでした。なのに、渡英直前に出会ってしまったカメラマンの彼に誘われて、パリとロンドンを行き来する生活に。気づいたら、パリに8年住み、しかもメイクアップアーティストになっていました。

　日本では海外のファッションブランドで働いていました。ヨーロッパが好きで渡英を決心。準備期間中に、日本人のカメラマンと出会い意気投合して、数カ月後にはパリで再会。恋の力ゆえ彼とパリでの生活が始まりました。

　実際にパリとロンドン、両方で暮らしてみたら、パリのほうが私には圧倒的に合っていました。というのも、ロンドンは旅行で短期間いる分にはよかったのですが、どんより曇り空が続くのが耐えら

れなくて……。パリも同じく曇天もあるんですが、人が明るくて楽天的だし、お金があってもなくても人生の楽しみ方を知っていて。そんなところもすごく好きになり、結局1年もしないうちにロンドンは引き払い、パリで暮らし始めました。

　住み始めて少し経ってから、あるホームパーティに行ったときのこと。参加していたフランス人に「きみは何をしにフランスへ来たのか？」と話しかけられたんです。それに対して「フランス語が話せるようになって、楽しく暮らせればいいなと思ってます」と答えたら「語学なんて2年も住めばできるようになる！　今すぐ、やりたいことを決めなさい！」と強い口調で促され、そのときに咄嗟に「メイクアップアーティストになります！」と言ったんです。

　仕事にしようと思ってわけでも、勉強をしていたわけでもなかったのですが、メイクアップに興味は昔からありました。でも、当時の日本だとヘアを作る人とメイクする人は分かれていなくて、ひとりがどちらもできないと仕事にならない。メイクにしか興味がなかった私は、その道は忘れていたんです。でも、急に聞かれたから本心が出たんでしょうね、すぐに答えていました。

　そうしたら、尋ねてきた彼が大きな声で

「この子、メイクアップアーティストになりたいんだって。誰か紹介できる人いない？」と聞き始めて。パリのホームパーティ "あるある" ですが、多彩なジャンルの人が集まっていたので、すぐにメイクアップアーティストを知っているという人が現れて、紹介する手筈を整えてくれました。紹介してくれた彼も映画監督でしたし、フランスはアーティストが多く、志す人に対して親切なんですよ。

　早速、紹介された人について現場にいく機会がありました。この時点で、私はプロのメイクの知識も技術もない状態。なのに、現場を見せてもらいにいったら、そこにいた世界的なメイクアップアーティストが「見よう見まねでいいからやってみなさい。僕の道具を使っていいよ」って言うんです。なんとかやってみたものの、技術も知識もなかったので学校に通うことにしました。

　コロナ禍でなくなってしまったんですが、クリスチャンシュボー（CHRISTIAN CHAUVEAU）というパリの名門メイク学校で1年勉強しました。最初の頃は、授業には出ているけれどフランス語がおぼつかなかったので、ちんぷんかんぷん。クラスメイトのノートをコピーさせてもらい、家に帰って辞書を引きながら "解読"。やっと今日の授業の内容を理解して、クラスメイトがなぜ笑っていたのか謎も解ける。そんな毎日でした。

　学校を卒業し、憧れていたアーティストについて勉強しながら、自分でも仕事を始めました。仕事をしていく中で、パリで暮らす中で、出会う女性たちは本当にみんな自分のことをよく知っている。正確にいうなら、自分の良さをちゃんと理解しているんですと感じました。

　自分がもっとも似合う色や服の着こなし、仕草まで、何もかもわかっているんです。たとえば、「目の色がこの色だから、マスカラはこの色がいい」ってちゃんとモデルが伝えている。パリジェンヌの無造作ヘアは適当にできるわけじゃなくて、作り込まれたもの。よくパリジェンヌはヘアにいちばんお金をかけると言われていますが、それは本当だろうなと間近で見ていて感じました。

　アシスタントをしているとき、一度も"鞄持ち"をしたことはありませんでした。最初からメイクをしているところを間近で見せてくれて、実践で学ばせてくれました。大御所であれ、アシスタントであれ、対等だし、それぞれがすべきことを全うする。その分、自分がどうしたらいいか自分で考えるし、責任感も生まれます。仕事の上ではいい環境だし、大事なことですよね。対等なのは大人同士に限ったことではなくて、子どもに対しても対等だし、子どもも自分の意見を大人にはっきりと伝えるんです。

　メイクの学生時代、日仏カップルの子どものベビーシッターを経験した時のこと。彼は、まだ7歳。私が話す関西弁の意味や話し方を理解しようとし、自分の意見もきちんと言う。フランスの人は子どもを子ども扱いしません。フランスの子どもは小さな大人としてその責任意識を持っている。そのことに感心しました。

　メトロに乗っていたり、カフェにいると、有名な映画俳優と一緒になることもあるけれど、誰も彼らに変に話しかけたり、注目することもせず、自分たちおしゃべりに夢中。それが有名人であれ、他人は他人だし、自分は自分なんですよね。余談ですが、いちど家の近くで俳優のジュリエット・ビノシュを見かけて密かに感動したこ

とがあります。映画『ポンヌフの恋人』が大好きだったんです。その後、拠点を東京にしてから、来日した彼女のメイクを担当して、そのときの感動を彼女に伝えました（笑）。

　個人を個人として尊重して、お互いにひとりの人間として対等に接するフランス人の姿勢は、私がその後メイクアップの仕事でアシスタントをつけるときに生かされましたね。

　その後、私がついていたメイクアップアーティストが拠点をニューヨークに移すことになったので、前後して私も東京とパリを行き来するように。その頃から海外で活躍する日本人ヘアードレッサーやメイクアップアーティストも徐々に帰国し日本のファッションが盛り上がり始め、時代が私に味方してくれたように感じました。また、海外でのコレクションもエキサイティングな経験でしたね。

　住んでいた8年間は、20区や11区など、パリの右岸の東側が長かったので、今もパリに行くと当時行っていたお店や公園に行きたくなります。ベルヴィル公園（Parc de Belleville）からエッフェル塔（La tour Eiffel）を眺めたり、「ロムブルー（L'homme Bleu）」でクスクスを食べたり。住んでいた頃は、本当に地元のエリアの人しかいない店でしたが、最近はわざわざ来る人もいる人気店になっているみたいです。

　行くたびに、パリの街の古いところと新しいところがうまく融合しているところがいいなあって思うんです。だから、昔からあるお店は、今のまま変わらずに残って欲しくて応援したい気持ちもあって、今も訪ねてしまうんですよね。

YOSHIE IWAI

モデル・コンサルティング会社経営
岩井ヨシエ

いわい・よしえ　20代のときにスカウ
トされ、一躍人気モデルに。27歳でモ
デルを引退し、パリへ留学する。2年後
に帰国して、結婚・出産。34歳で子ど
も服のセレクトショップ「プチカラン」
を代官山にオープン。その後は病に倒れ
た夫の看病、介護、子育てに専念。また、
夫から会社を引き継いだため、経営者と
しても活躍。57歳で新創刊した雑誌『素
敵なあの人』からモデル業を再開する。

―――――

YOSHIE IWAI

　最初にモデルになったのは21歳のとき。本当はデザイナーを目指していたんですが、雑誌でいつも拝見していて憧れだったスタイリストさん、ヘアメイクさんに原宿でスカウトされ、当時『an・an』がすぐにページを作ってくれることになり……。あっという間にデビューすることになったんです。

　どんどん仕事も増えて楽しい日々ではありました。でも、周りからは「モデルは若くないと」とか「数年したらもっと若い子が入ってきてあっという間に仕事がなくなるよ」とか散々言われて。ずっと続けられる仕事ではないという思いはどこかにありました。今でこそ年齢を重ねた素敵なモデルがたくさん活躍する時代ですが、当時は30代のモデルなんていなかったんです。

　ちょうど世の中はパリブーム。まだロンハーマンもなく、西海岸ファッションが流行るのはまだまだ先のこと。ファッションに携わっていると、パリが身近だったんです。私も遊びに行ったこともあり、密かにアテネフランセに通ってフランス語も勉強していました。

仕事がなくなって辞めるのはかっこ悪いなという思いもあり、仕事のオファーが途切れずあった27歳のときに引退を決断して、パリに留学しました。

　最初に住んだのはバスティーユ広場（Place de Bastille）のあたり。今と違い、観光客も日本人もまだ少ないエリアでちょっと怖くて、16区のトロカデロ（Trocadero）に引っ越すことに。アパルトマンからもエッフェル塔（La tour Eiffel）が近くに見えて、駐在する日

本人も住む閑静なエリア。おかげで怖くてビクビクすることもなくなり、パリの街や暮らしに没頭することができました。

　語学学校へ行き、料理教室やお花の教室に通い、ヨーロッパを旅行したり……。学生時代からの親友もパリに住んでいたので、このままずっといようと思っていたほど、毎日楽しく過ごしていました。ところが2年が経った頃、父が倒れたと連絡が入り、留学を終わらせて帰国することになったんです。

　東京に戻ってきて少し経った頃、たまたま立ち寄ったパーティでビギグループ（アパレル企業）の人達と知り合いました。デザイナーになりたいという思いは、その頃も持っていて、中でも憧れてい

たビギでデザイナーがしたいとずっと考えていました。だから、食事に誘われたときにチャンスだと思ってついていったんです。自分で描いたデザイン画もよく見せていましたが、それは全部「実績がないから」とスルー。いつの間にかプロポーズされて彼と結婚することに。妻としての実績もゼロだったんですけどね（笑）。

　その後、子どもが生まれて、あることに気づきました。日本には自分の子どもに着せたいと思える服がないんです。家族でパリへ旅行にいったとき、狂ったように（笑）子どもの服を買っていたら、夫が「だったら自分で東京にお店を出せば？」と言い出したんです。なるほど！　と思い、早速パリやミラノのサロンで買い付けを始め、子ども服のセレクトショップ「プチカラン」をオープンさせました。1年だけは東京・代官山にお店があり、その後はカタログを作って通信販売に。撮影のディレクションもして、商品名も自分で決めて、説明文も書いて、オーダーシートも作って。切手を貼ってカタログを送るのも、商品を発送するのもすべてやっていました。最初はモデル時代の貯金を切り崩しての経営だったので、自分でできることは自分でやらざるを得なかったんです。子どもの受験や夫が倒れて介護も始まり、「プチカラン」は6年で閉めることになりましたが、とてもいい経験だったし、気づかされたこともたくさんありました。

　パリへ買い付けに行くと、私も子どもがいる母親になっていたので、自然と子連れの女性にも目が行くようになりました。公園で子どもを遊ばせているママがブレザーを着ていたり、ちゃんと自分のおしゃれをしているんです。公園だからママは汚れてもいい適当な服、という発想はそこにはまったくなくて。当時の日本は特に「母親になったらおしゃれを楽しんじゃいけない」という暗黙のルール

があると感じていたし、実際に「母親のくせにマニキュアしてるなんて！」と非難されたこともあり、悲しく悔しい思いをしたことが何度もありました。

　バイイングしていた子どもの服は、シックな色、スモーキーな色なんかもたくさんあって、子ども服にも"色気"がありました。日本のように子どもだからキャラクターが描いてあって、わかりやすい明るい色ということにはならないんです。"ママだから"だけでなくて、"子どもだから"という決めつけもない。日本との違いに大きなショックを受けました。

　モデル時代は「女性は若くてきれいにしていないと価値がない」と言われ続け、母親になったら「おしゃれをするな」という暗黙のルールに縛られる。日本には大人の女性の未来がないなとずっと感じていました。パリへ行くと大人の女性へのリスペクトがあるし、本人たちも自分のスタイルで一生おしゃれをしようとするから、自然と色気もあって。自分の魅力をよくわかっているし、それをちゃんと表現できている。よくパリジェンヌの"無造作ヘア"なんて言葉が雑誌で目にすることがありますが、あれは無造作でもなんでもなくて、緻密に作られたもの。パリの人がいちばんお金をかけるのは服ではなくて、髪だというのはよく言われる話ですよね。

　人を作るのは「言葉」「食べた物」「出会い」だと言います。あのきれいで甘いフランス語を話すことが、スタイルや生き方に影響しないはずはないですよね。だからこその柔らかさやセンス、どこか影も感じる街と人があるのだろうなと、住んでいるときも買い付けで訪れるようになってからも感じていました。

そして、フランス人は個人主義で私は私だし、あなたはあなた。だからしっかり芯があって強い。ときにそれが冷たいと感じることもあるし、街にも人にもたくさんの問題は今もあります。でも、年齢や属性に囚われすぎている日本が窮屈だった私には、フランス人の個人主義の考え方はとても心地よく、しっくり来るものだったんです。

私は60代になりましたが、色気も何もない体のラインが隠れるゆったりした服は好きではないし、いつまでも自分が着たいと心が動く服を着ていたいと思っています。昔ならあり得なかった57歳という年齢でモデルを再開したのは、今もまだ年齢に囚われる窮屈な世界を少しでも変えられたら……という思いもどこかにあったのかもしれません。

「プチラカン」を閉めてからは、長くらくパリには行っていませんが、今も日々パリを感じながら東京で生活しています。私より先に留学していた親友はそのままパリに住み続けていて、毎週"パリの今"を写真で届けてくれるんです。何気ない風景もあれば、ジェーン・バーキンが亡くなったときは、それを悼むパリの人たちの写真だったり……。

彼女から届くパリ便りも楽しいけれど、そろそろ自分の目で見て歩いて、パリを体感したいなと思っています。

PARIS MANIAQUE_12

J.P.NISHI

漫画家

じゃんぽ〜る西

じゃんぽ〜る・にし　フランスに縁が深い漫画家。2005年にワーキングホリデー・ビザで1年間パリに滞在。そのときの体験を元に描いたエッセイ漫画『パリ愛してるぜ〜』(飛鳥新社) は、仏訳版『A nous deux, Paris !』(Editions Philippe Picquier) にもなった。フランス人女性と結婚し、現在は日本で二人の子どもを育てている。その他の作品に『モンプチ嫁はフランス人』『おとうさん、いっしょに遊ぼ』(祥伝社)、『理想の父にはなれないけれど』(KADOKAWA) などがある。『フィール・ヤング』(祥伝社) で「おとうさん、いっしょに遊ぼ」、『ふらんす』(白水社) で「フランス語っぽい日々」を連載中。

J.P.NISHI

　初めてパリに行ったのは？　と聞かれたら、実は３歳か４歳の頃の家族旅行です。でも、僕自身はまったく記憶がなくて、意識がある最初のパリは20歳のとき。旅行先に選んだ理由は、フランスの漫画や絵画に興味があったからです。フランスの漫画はバンド・デシネ（bande dessinée）と呼ばれていて、フルカラーで判型も大きい。日本の漫画とは違っていて、かなり衝撃を受けました。特に好きだったのは、マックス・カバンヌ（Max Cabanes）の作品。日本でもこれまで何度かバンド・デシネが流行ったので、彼の作品も日本語版が出ています。

　記憶がある２度目のパリは、大学を卒業後、漫画家になってから。フランス人漫画家に弟子入りしてみたいと思ったのがきっかけです。

　仕事仲間からフランスにはワーキングホリデー・ビザというものがあることを教えてもらい、申請を出しました。30歳で上限ギリギリの年齢でしたが、小論文を出し、選考を受けたら通って、無事パリへ１年行くことができました。ただ、フランスの漫画家には日

本のようなアシスタントや弟子入りという概念がなくて、目的は叶いませんでしたが。その代わり、というわけではありませんが、パリに住んでいたときに出会った人や街を観察して感じたことやカルチャーギャップを綴ったエッセイ漫画『パリ愛してるぜ〜』で単行本を出すことができました。さらには、その本のフランス語訳版『À nous deux, Paris !』が出版され、パリやフランスに縁の濃い人生が続きます。

　1年間のワーキングホリデー・ビザが終わって日本に戻ってきてからも、日本のカルチャーを紹介するジャパンエキスポ（Japan Expo）の取材に自腹で行ったり、国際ブックフェアのサロン・ド・リーブル（Salon du Livre）に招待されたり、仕事でも何度かパリへ行きました。そのときに知り合ったフランス人女性とのちに結婚して、今は日常生活の中にもフランス文化があり、里帰りする先が妻の実家があるパリになりました。

　僕にとってパリという街の魅力は異文化に触れられること。それが楽しくて仕方ありません。街も人も物珍しく、面白いなあと感じるから、いつもひたすら観察しています。大学生で初めて行ったときから何度も行っても、その感覚は変わることなく、パリは相変わらず興味深いままです。

　あとは何といっても食べ物がおいしい。ロクでもないなと思うときもある街だけれど、とにかく食べ物はおいしい。パリを訪れる人の多くがそうだと思いますが、必ず食べるのはバゲットとチーズ。見た目はパッとしないどうでもいいようなスーパーで売っているものでもおいしいことにいつも驚かされます。パン屋にいたっては、

そこかしこにあって適当に入ったとしても、クロワッサンやパンオショコラは感動もの。カフェだってどこに入ってもおいしい1杯が飲めるのもパリにいるなあと感じる瞬間です。

　たくさんの会いたい友人や知人ができたことも今となってはパリの魅力、行きたいと思う理由のひとつです。

　1年滞在していたときに語学学校に通ったものの、僕のフランス語力はなかなか上達しませんでした。家族でパリに行ったとき、息子に恥ずかしいからフランス語を話さないでと言われたこともあります。これは僕の大きな問題ではありましたが、それでもパリに住んでいる間に友人はたくさんできました。

　フランス人はフェット（Féte）と呼ばれるホームパーティが大好き。語学学校やアルバイト先で知り合いができると呼ばれて、そこで知り合った人がまた別のフェットを開催するとそこに遊びに行って……というようにどんどんと新しい繋がりができていきます。日本とは人との距離感や付き合い方が少し違って、それがいいときもあるし、戸惑うときもあります。

104

PARIS MANIAQUE 12

たとえば僕が友人とカフェへ向かっていて、その友人の友人に会ったとします。すると、僕が知らない人だったとしても合流して一緒にカフェに行くことになったり。しかも、友人は先にカフェを出

て、初対面のふたりだけが残される……なんてこともわりと起こります。いまだに計りかねることがあるし、その真意がわからないことも多いけれど、それも含めて興味深い人たちです。

ひとり旅、ワーキングホリデー、仕事、家族と里帰り、さまざまな形でパリに行っていますが、好きな場所はどこかと聞かれたら、その答えは地下鉄メトロ（Métro）です。

いくつか理由がありますが、まずはパリの街の中を歩いていると至るところに駅があること。道に迷ってもとりあえずメトロの駅を見つけて階段を降り、路線図を眺めて目的地を探す。そしてメトロに乗り込んで、ぼーっとしていれば目的地へ連れて行ってくれます。いまだに中1英語レベルのフランス語しか話せないので、知らない人とは話さずにすむならそのほうがいいから、僕はタクシーよりメトロ。

そして、パリのメトロの中は人と近いのがいい。人を観察するのが好きなので、メトロの車内はいい距離感。パリはエリア毎に住んでいる人種がさまざまで、路線や駅によって服装も髪型もかなり違

う人たちに出会います。最初に乗ったときは驚きましたが、見ていて飽きないし、近いから細部までよく見えて、描きたくなります。実際に描くこともありますが、描いても怒ったりせずに、彼らはむしろ喜んでくれます。メトロは臭くて嫌だという人もいるけど、僕は気にならないし、気がラク。ほっとできる好きな場所です。

　おいしいバゲットやチーズ、混沌としたメトロの他に、もうひとつパリに行かないと味わえないものがあります。それは色彩の違い。光の違いです。あるとき出会った画家は、光が違うからパリでしか絵が描けないと言っていました。空も植物も建物も見え方が違います。暗さはよりどんよりと映り、明るいときはよりクリアに。

　パリに渡った直後、住む場所や仕事を探していたものの、なかなか見つからず街をさまよったことがありました。そのときに見えた街は本当にどんよりと暗く、厳しかった。言葉もできない、知人もいない、そんな中だったので、強い孤独感があったことは確か。でも、それ以上に色彩の違いがその景色を作り出していたと思います。あの光景は、パリで過ごした時間の中で、最も忘れられないものになりました。

　次にパリに行ったらしてみたいことがあります。それはタブレットでスケッチを描いてみること。デジタルに強くない僕はまだタブレットで描くことができません。僕はパリで知り合った画家とは違うから、パリじゃなくても描くことはできるけれど、現地でさらさらと描いてみたい。次までにできるようになって、またパリを訪れたいと思っています。

NORIKO SAKATA

「カレンソロジー」ディレクター
坂田乃吏子

さかた・のりこ 「イエナ」からバイヤーのキャリアをスタートし、「ドゥーズィエムクラス」でバイヤー、ショップマネージャーを経験した後、「マッキントッシュフィロソフィー」のディレクションを担当。2018年より「カレンソロジー」ブランドディレクターに就任。

NORIKO SAKATA

　学生のときにソフィー・マルソー（Sophie Marceau）が主演する映画『ラ・ブーム（La Boum）』を見て、パリにひと目惚れ。同年代たちのリアルなパリの日常やファッションに一気に引き込まれました。

　当時すでにファッションに携わる仕事がしたいと思っていて、高校生のときには夜間の服飾デザインの専門学校にも通っていました。その後、21歳でアパレル企業ベイクルーズが展開するブランド「イエナ」のバイヤーに採用され、その3カ月後には、仕事でパリに行くことに。初めてのパリです。まだ何も経験がないのに、バイイングでパリへ行けたなんて、すごい時代ですよね。

　パリの空港に着いて早々に海外の洗礼を受けました。ロストバゲージです。夜ですでにお店も閉まっているけれど、翌朝からバイイングに行かなくてはいけない。同じ便だった別ブランドのバイヤーの方から新品の下着をもらって、着の身着のままバイイングへ行きました。当時の私はジーン・セバーグ（Jean Seberg）みたいなべ

リーショートで、荷物もないから化粧もできなくて。フランスの人たちから見たら子どもみたいだったんでしょうね。「君が買い付けするの？」と驚かれたけれど、面白がってくれました。ロストバゲージで何もないと話したら、「これをあげるよ」とネックレスをつけてくれたり、ハプニングが転じてあたたかなコミュニケーション

が生まれていく。そういうのって日本ではなかなかないから素敵だなと印象に残りました。

バイイングは全部ひとりで調べて、何を買うかも決めるのは自分。ワクワクする気持ちしかありませんでした。SNSがない時代だから、雑誌や本を片っ端から調べて情報を集め、紙の地図を持ちながらパリを歩き回る毎日。街を歩けば、新しい素敵なものに出会えたし、お店を訪ねて実物を見る楽しさがありましたね。

私はパリを訪れるたびに、そこに暮らす女性たちからインスピレーションをもらっています。

パリの女性たちはラフだし自由だけれど、自分のあり方、魅力を知っていて、それを最大限に生かす自己プロデュースが本当に上手。キャッチーなファッションをしている人もいれば、クラシカルを好む人もいる。ひと口にパリの女性のおしゃれは語れませんが、総じ

て軸があって、どんなファッションをしていてもちゃんと自分らし
いんです。そんな彼女たちを見ては、私もそうありたいといつも思
っています。たくさん刺激を受けた人はいたはずですが、パッと思
い浮かんだのは、　蚤の市が開かれているクリニャンクール
（Clignancourt）で出会った女性ふたり。

　ひとりは、シンプルなワンピースにビーチサンダル。そこにヴァ
ンクリーフ＆アーペル（Van cleef & Arpels）のアルハンブラの黒の
ロングネックレスをさらっとつけていた女性。実はそれまでアルハ
ンブラをあまり意識したことがなかったのですが、なんでこんなに
もかっこいいの！　と一瞬で魅せられました。何を着るか身につけ
るかではなく、身に着ける人のスタイル次第でアイテム自体が輝く
かどうかも変わってくるということを意識させられましたね。

　もうひとりは、寒い時期に出会った人。ベルト位置が高めのクラ
シックなコートを着ていました。立てたコートの襟からくせっ毛が
ぴょんと出ている。手編みの帽子をかぶった赤ちゃんを抱っこして、
片手でバギーを押している。その佇まいが素敵で、こっそり写真を
撮って、のちに彼女が着ていたコートを参考に商品を作ったことも
ありました。

　そして間近で彼女たちを見ていて思うのは、お手本にしたり、誰
かの真似をすることはあっても、"自分だったらどうなのか？"と
いう問いが必ず入る。だから、みんな同じにならずにその人のスタ
イルとして出来上がるんですよね。日本にいて写真で見て参考にす
ることももちろんありますが、仕草や空気感を含めて感じ取ること
ができるのは、現地で同じ空間にいてこそ。

　パリという街からもたくさんの刺激を受けています。

　昨年、コロナ禍を経て数年ぶりにパリに行きました。お店の入れ替わりがだいぶありましたが、パリのすごいところは、それでも "パリだよね" と思わせるところ。古き良き街並みを存続させる、時代に惑わされないパリの強さやプライドを感じました。実は柔軟だし自由なところもあるから、建物の中に入ってみると意外に現代的。歴史を大事にはするけれど、それにしがみつくわけではなく、ちゃんと進化もしているんですよね。

　若いときは少しの時間も無駄にしたくないとあちらこちらへ行っていましたが、最近はパリの街の空気感をひとりでゆっくりと楽しみたいと思うようになってきました。たとえばパレロワイヤル（Palais Royal）のお庭で行き交う人を眺めたり、風に当たったり、木漏れ日に見惚れたり。たくさん公園や広場はあるけれど、ぎゅうぎゅうに建物が立っている中に、ぽかんと囲われた空間があるパレロワイヤルが好きなんです。パリにいくつかあるアーケード街パッサージュ（Passage）もひとりで街を楽しむのにちょうどいい場所です。中には書店やアンティークショップなどいろいろなお店

も並んでいて、こじんまりしているからひとりでご飯食べに行きやすいんです。

　帰りには「メール（Meert）」や「オウ メルヴェイユ ドゥ フレッド（Aux Merveilleux de Fred）」で大好きなゴーフルを買ったり。今となってはどこでもなんとかすれば物は買えるけれど、空間やムードはそこでしか味わえないもの。お買い物はお店の雰囲気も込みです。

　滞在するホテルで過ごす時間を心地よくするために、「ドクターヴァルネ（Dr.Valnet）」のアロマエセンスやスプレーも欠かせません。以前、出張中に体調を崩して咳込んでいたときに教えてもらったもので、今もよく使っています。香りがよくて、空気を清浄してくれるので、お土産しても喜ばれるんです。

　映画『ラ・ブーム』で虜になって以来、私の心を刺激してくれて、スタイルを見習いたいと思わせてくれるのはリアルなパリの人々と街並み。自分自身にも、ディレクションしている服にも、きっとそのエッセンスは表れているはずです。

　ちなみに初めてのパリでロストバゲージしたトランクは、無事日本に戻って来ました。1年後のことでしたが（笑）。

EIJI SHIMAZAKI

フランス著作権事務所
著作権エージェント
島崎英司

しまざき・えいじ　立教大学文学部フラ
ンス文学科在学中に、パリへ交換留学。
帰国して卒業後にパリ第12大学大学院
(Université Paris-Est Créteil Val de
Marne)へ留学し、修士・博士課程を修了。
現在は東京に拠点をおき、フランス著作
権 事 務 所 B C F (Le Bureau des
Copyrights Français)にて、日本の書籍
をフランスを始めとする欧米各国に紹介
し、翻訳出版契約を仲介するエージェン
トとして活躍。文芸作品や漫画を始め、
ファッションスタイルブックなどの実用
書まで幅広く仲介している。

EIJI SHIMAZAKI

　僕がパリに住んだのは、大学生のときに交換留学で1年弱。その後、日本の大学を卒業してから、パリの大学院へ留学し、そのまま約8年住んでいました。

　フランスに興味を持ったきっかけは、中学生のときにたまたま観たジャン＝ジャック・ベネックス監督の映画『ディーバ（Diva）』。バイクで地下鉄を駆け抜けるシーンなど映像が衝撃的で。以来フランス文化に興味を持つようになり、カヒミ・カリィなどフレンチポップスからも影響を受けた渋谷系の音楽を聴き、ジャン＝フィリップ・トゥーサン（Jean-Philippe Toussaint）などの現代フランス語作家の小説も読むようになりました。ヌーベルヴァーグ期をはじめ、フランス映画のリバイバル上映にもよく足を運んでいましたね。

　大学はフランス文学科へ進学。授業では古典を取り上げることが多かったけれど、やっぱり好きなのは現代フランスの作家。特にノーベル文学賞を受賞していて、パリを舞台にした作品を書いているパトリック・モディアノ（Patrick Modiano）にハマり、卒論のテー

マにもしました。モディアノの書く文章は余計なものがそぎ落とされていて簡潔で品がある。それなのに、インテリにありがちなスノッブさがない。その文体に強く惹かれたし、いつかこんなフランス語で文章が書けるようになりたいとも思いました。

　大学4年生のときに交換留学で1年間パリのフランス国立東洋言語文化学院へ。そのときは通訳の講座など主に語学のブラッシュアップを目標に授業を受けていました。住んでいたのは14区のはずれにある国際大学都市（Cité Internationale Universitaire de Paris）。各国からの留学生のために学生寮が立ち並ぶ、小さな町のようなところで、本来なら日本館のはずが部屋の空きがないからとギリシャ館に住むことに。来て早々にフランスの"いい加減"を味わうことになりました。おかげで仲良くなったのはフランス人よりもギリシャ人が多くて、名前がソクラテスという友人が3人もできました。

　交換留学を終えて帰国後は、日本の大学を卒業して就職。たまに通訳もしていて、あるとき東京日仏学院（Institut français de Tokyo）で開かれるフランス留学フェアのサポートに入りました。あまり参加者が来なくて、パリの大学から来日していた先生と話していたら「あなたもっと勉強するといい」と言われ、パリの大学院への進学を勧められたんです。もっと文学を研究したい気持ちがあったので、半年後にはその先生のいるパリ第12大学（Université Paris-Est Créteil Val de Marne）の院試を受けて、再び留学することを決めました。

　博士課程に進んでからも、ファッションウィークの通訳や日本のセレクトショップのバイイングのアテンドをしたり、サン＝ルイ島

（Île Saint-Louis）にある寿司店「勇鮨」でもアルバイトしながら、コツコツ論文を書き続けました。残念ながら閉店してしまったんですが、「勇鮨」は政財界の大物から俳優まで訪れる店だったので、ある意味でパリらしさを感じる場所でもありました。

　フランス語で博士論文を書き、通訳の仕事も始めていたので、ただ単に話せる、聞き取れるだけではない、よりネイティブに近いレベルになりたい。そんな思いがいつもあったので、僕なりにネイティブと習得者の違いもよく考えていました。大きくは3つあって、ひとつは名詞の性に合わせた冠詞が無意識に出てくるかどうか。そして動詞の語彙の多さ。少なくても工夫すれば意志を伝えることはできるけれど、ニュアンスを的確に伝えられるかは単語をいかに知っていて、選べるかどうかがポイント。3つめは文章の組み立て方。日本語は結論を最後に持ってくる構造ですが、フランス語は、むしろ、まずは大切なことや言いたいポイントを述べてから話しを展開する言語。ネイティブにはなることはできないとしても、このあたりを意識することで、フランス人に理解してもらいやすくなったなと実感しました。

　言葉の話でいえば、パリの人たちはとにかく早口。これに慣れてしまうとフランス語習得者の僕でもフランスの地方を旅していると「パリから来たのね」と言われるほど。早口だし、移民や外国人も多いから、パリがフランス語を学ぶ場に適しているかどうかは疑問もあります。それでもコンパクトな街に、美しい建物や通り、各国の文化が入り交じる空間は唯一無二。あの街の雰囲気の中でフランス語、そして文化を知ることができたのは本当によかったと思っています。

　最初の数年はカデ（Cadet）駅の近くに、その後は少しだけ左岸15区のフェリックス＝フォール（Félix-Faure）を経て、帰国するまで長らく北駅（Gare du Nord）の目の前に住んでいました。毎朝、アパルトマンの窓を開けるとロマネスク様式の駅舎が見える。その光景は毎日見ても飽きないどころかいつも圧巻だし、何にも変えがたい特別なものでした。カデも北駅もモンマルトル（Montmartre）に近いエリアで、今もパリを訪れると必ず散策するほど好きな場所です。

　ただ北駅付近は、決して治安がいいとはいえないエリア。一度だけ泥棒に入られたことがありました。でも、そのときほど、パリの人たちの人間味というか温かさを強く感じたことはなかったと思います。

　外出しているときに、同じアパルトマンに住む名物おばさんから「早く帰って来なさい。あなたの部屋のドアがなくなっているわよ」と電話がかかってきました。急いで帰ると、分厚い木製のドアが蹴破られて半分ない状態。警察が現場検証に来て、指紋を採取したら、いろいろな人の指紋がありすぎて、どれが犯人のものかわからないと言うんです。なぜかと思ったら、名物おばさんを始め、アパルトマンの住人たちが「エイジの家を守らないと！」と次々に僕の部屋に押しかけていたらしくて（笑）。

　パリではつねに自己主張して言いたいことは言わないとわかってもらえないし、何なら言ってもわかってもらえないことも多いから、いつも戦っている感じがしました。それでも、やっぱり温かくて親身になってくれる人間味に溢れるパリの人たちに救われることもた

くさんありました。それこそが住んでいて感じたパリのいちばんの
魅力かもしれません。

　博士課程を修了してからは、通訳などをしながら日本とパリを行
き来していましたが、2013年からは東京の著作権エージェントで
日本の出版物をフランスなどに紹介し、翻訳出版契約を仲介する仕
事をしています。当時はフランス語に翻訳される日本語の本といえ
ば、純文学や少年漫画の大作、
児童書がほとんど。この10年、
地道に働きかけ、エンタメ小
説、実用書、良質な大人が読
める漫画なども少しずつフラ
ンスで受け入れられるように
なってきました。

　会社のボスはフランス人だ
し、仕事相手も半分はフラン
スの出版社。休暇はフランス
ほどではないけれど、10日間
はとって、パリとフランス国
内の小さな街に滞在するのが
毎夏の楽しみです。帰国した
ときは、もっとパリに住んで
いたかったなという思いもあったけれど、今は働き方やライフスタ
イルはフランス寄りで、住んでいるのは何につけても便利でスムー
ズで清潔な東京。これって実は悪くないのではと最近はよく思って
います。

ATSUKO MORITA

植物療法士
森田敦子

もりた・あつこ　フランス国立パリ13
大学で植物薬理学を学ぶ。帰国後は植物
療法に基づいた商品とサービスを社会に
提供するためのサンルイ・インターナッ
ショナルを設立。日本での植物療法学、
性科学での先駆けとして、女性のための
ケアブランド「アンティーム オーガニ
ック」での商品開発、トータルライフケ
アブランド「ワフィト」を創設するほか、
中目黒にてAMPP認定・植物療法専門校
「ルボア フィトテラピー スクール」を主
宰。2022年には、女性誌「ELLE」にて
「100 Women CHANGE MAKERS（エル
が選ぶ世界のチェンジメーカー100）」の一
人に選出される。

ATSUKO MORITA

　パリとの縁は、病気をきっかけに植物療法を知り、本格的に学ぶために留学したことが始まりです。今から30年以上前、1992年から4年間、パリ第13大学（Université Paris 13）で植物薬理学を学びました。

　仕事のストレスなど、さまざまなことが重なり、気管支疾患になってしまい、治療のための薬でアレルギーが起きて……それを繰り返す日々でした。そんなときに俳優の岸恵子さんの娘であり、友人のデルフィーヌが根本的に治したいなら、と植物療法学を教えてくれたんです。まだ日本にはエッセンシャルオイルもないような時代でしたが、自分の体をなんとかしたい、本格的に植物療法を知りたいと思うようになり、パリへの留学を決めました。

　私が通っていたフランスの大学では植物療法は薬草学として医薬

学部の専門課程。4年間の授業では性科学や生理解剖学、婦人科、皮膚科、薬学もカリキュラムに入っていて、総合的に知ることができました。後半は研修でフランスのボルドーのほか、スウェーデン、ドイツ、イタリアなどヨーロッパ各地を訪れ、そこで育つ植物について学びました。実際に学んだことを実践していくうちに病気からも回復し、ますます植物療法に魅了されていきました。

　パリに行ったのは植物療法が学べる場所だからで、街自体に憧れていたわけでも興味があったわけでもありません。でも、住んでみたら、とても居心地がよかったんです。

　私が20代前半を過ごした当時の日本は、男女機会均等法が施行される前。女性は早く結婚して専業主婦になって子どもを産むのが幸せで、働きつづけるなんてみっともないこと、そんな風潮がありました。私はずっと仕事をしていたいと思っていたので、違和感があったんです。結婚して専業主婦になりたい人もいていいし、私のように働き続けたいと思う女性もいていいはずなのに、みんな同じように生きないといけない同調圧力のようなものが苦しかった。パリに来てみると、人がどう生きようと周りは気にしないし、何歳だからこうしなくちゃいけないという圧力がなくて、すごく解放された気分になります。当初は足並みをそろえる日本の文化しか知らなくて戸惑いましたが、フランス人のように個人主義で考えをはっきり主張することに慣れると、どんどん心地よい場所になっていったんです。ただ、当時のパリは酷い差別がありました。一度クリーニング店で「日本人は来ないで」と言われたこともありました。少しずつフランス語がわかるようになると、ブランド品を買い漁る日本人観光客を見て、フランス人たちが馬鹿にしたように言葉を投げか

けているのを聞くこともありました。たまに遭う理不尽な差別はあったものの、それを差しおいても、個が際立つパリは生きやすかったですね。

　留学して最初に住んだのは、パリの中心を流れるセーヌ川（La Seine）に浮かぶサン＝ルイ島（île Saint-Louis）。私の会社名の由来です。そこはアパルトマンの一室を間借りだったので、ひとり暮らしできるアパルトマンを探して、パリ左岸のパリ最古の百貨店ボンマルシェ（Le Bon Marche）に近いサンプラシード（St Placi de）へ移りました。

　帰国するまで、そのアパルトマンに住みました。近くには日本でもかなり有名になった「不思議のメダイの聖母聖堂（Chapelle Notre-Dame de la Médaille Miraculeuse）」があり、よく訪れては、その静謐な場に励まされていました。

　パリの中でもサンジェルマン・デ・プレは少しおしゃれしないと行けないような気持になるけれど、サンプラシードは気負わずに普段着で過ごせるエリア。チーズを買いに行けば、"今あそこのパン屋さんが焼き立てだよ"と教えてくれたり、女友達と一緒だと "また女同士？ いけてないね（笑）"なんて軽口を言われたり。ちょっとしたコミュニケーションもあたたかくて、そんな雰囲気も好きだったし、何

より住んでいた部屋も好きで。入口が青い扉だったのですが、それを真似て、事務所の扉を同じ色にしました（笑）。

　留学から戻ってからは、日本で植物療法、そして同じくパリの大学で学んだ性科学を広めるために会社を設立。帰国後10年はひたすら研究の日々で、原料を日本に持ってきては、それを分析し、研究を続けました。その後は女性のためのケアブランド「アンティーム オーガニック」を立ち上げ、AMPP認定・植物療法専門校「ルボア フィトテラピー スクール」も主宰するように。今も年に数回は原料を求めたり、知識をアップデートするために、パリを拠点にヨーロッパ各地をまわっています。

　日本にいると、ずっと張りつめて仕事することになりがちですが、パリでは緩急つけて仕事ができるところもいいんです。たとえば会議と会議の間が2時間空いたら、公園へパンにチーズを挟んで持っていってランチをしたり、本を読んだり、ときには寝そべってひと休みすることも。公園にいると自然に友達が集まってきて、いつの間にかピクニックになっていることもあるんです。街中にピクニックしたり、のんびり過ごせる場所があるのもパリらしいところです。日本で同じようにしようと思っても、時間もなければ、いい大人が公園で寝そべっていたら不審者扱いだし、何かと公園もルールが多くて気が休まらない。人の目を気にせず、自分の時間を過ごすことで、自分の細胞が喜んでいるのがわかるし、仕事のアイデアも浮かぶし、スムーズなんです。

ATSUKO MORITA

　パリ滞在中は、外食をすることもあるけれど、自分で調達した食材でディナーにすることが多いですね。たとえば、ラスパイユ通り（Rue de Raspail）のビオ朝市で買った野菜、バゲットにボルディエのバター（LE BUERRE BORDIER）、そしてオーボンマルシェのグロサリー　ラ　グランド　エピスリー　ド　パリ（La Grande Épicerie de Paris）のフォアグラのペーストにワインを。植物療法を広めながら、フォアグラにバター!?　と思われるかもしれませんが、どちらも大好きでパリに行く楽しみのひとつなんです。

　日本で始動してから25年以上経ちました。諦めずにずっと続けてきたことで、やっと植物療法も性科学も少しずつではありますが認知されてきている実感があります。18世紀末からオランプ・ド・グージュが唱えていたからこそ、きっと今の私があるし、日本にも少しずつでも浸透させることができたと思っています。だから、パリを訪れるたびに彼女の名前がつけられた広場にいき、日本でも広まってきているよと報告しています。

　最近では、フランスで学んだ植物療法、日本で確立された本草学の叡智をベースにして立ち上げたライフケアブランド「ワフィト」のアイテムがパリのオーボンマルシェに並んでいます。恩返しといったらおこがましいけれど、日本人の私がフランスで学んだことを生かして、少しは貢献できているのかなと思っています。でも、まだまだこれからですけれどね。

PARIS MANIAQUE_16

RINA KOUYAMA

エディター・ライター
幸山梨奈

こうやま・りな 立教大学文学部フランス文学卒業後、フリーランスのエディター・ライターとして女性ファッション誌を中心に活動を開始。現在はウェブマガジン、雑誌など幅広い層の媒体で活躍。構成を担当した書籍に『ただ着るだけでおしゃれになるワンツーコーデ』(西東社)『身の丈に合った服で美人になる』『愛のコトバ LOVE POEMS』(講談社) などがある。

RINA KOUYAMA

　最初に憧れたのはパリジェンヌという響き。きっと当時読んでいた雑誌で知った、その言葉、そして誌面を彩っていた女性たちに、訳もわからず心惹かれました。

　そのふんわりとした憧れのまま、でも迷いなく、フランス文学科へ進学。ちょうどその頃は「日本におけるフランス年」で、東京・お台場にパリのセーヌ川沿いにある自由の女神像が期間限定で移設されてきたり、あちこちでパリやフランス文化をいたるところ体験できるときでした。特にヌーヴェルヴァーグ（Nouvelle Vague）期のフランス映画がよくリバイバル上映されていて、ゴダール（Jean-Luc Godard）やトリュフォー（François Truffaut）ロメール（Éric Rohmer）なんかを、意味がわかっていたかは置いておいて、気軽に観ることもできました。

　雑誌『フィガロジャポン』や『エル』のパリ特集号を心待ちにし、本当はアニエスベー（agnés b.）に憧れてたけれど、なかなか手が出ないのでドゥファミリィの服を着て、お気に入りのカフェを見つ

けて通い、大学の授業で先生たちから伝え聞くパリの空や街並みを想像して、憧れはどんどんと膨らんでいきました。

　そして大学2年生の春休みに念願のパリへ。海外に行くのも初めてだったのになぜか誰かと行くことは想像できずにひとり旅。予約した旅行代理店で「オペラ地区（Opera）にある」と勧められたホテルは、たしかにオペラまで歩くことはできたけれど、ピガール（Pigalle）という歓楽街のすぐ近く。映画でよく見かけるドラム缶で作る焼き栗を買ったらぼられる。通りもカフェの床もたばこの吸い殻だらけで想像以上に街が汚い。話しかけても無視される。かと思えば、しつこく話しかけてくる人もいる。少し街の中心から外れれば、建物の壁面はグラフィティだらけ。なんだか思っていた美しく素敵な街とはだいぶ違ったけれど、憧れの熱は冷めることはありませんでした。たぶん、ちょっとした嫌な思いよりも、ホテルの朝食で食べられるバゲットとバターのおいしさが衝撃的すぎて。エシレでもボルディエでもなかったけれど、毎朝それを食べるだけで満たされたんですよね。

　その後、学生時代にも数回、働き始めてからも飽きることなく何度もパリを訪れています。小さな街なのにエリア毎に雰囲気が異なるので、行くたびに泊まるエリアを変え、左岸の静かな住宅地ヴォージラール（Vaugirard）にしたり、雑多で賑やかなレピュブリック広場（Place de la République）を選んだり。特に意味もないのですが、ホテルは必ず滞在したことのないエリアにするというルールを自分に課しています。たぶんこれは旅行で訪れる人にしかできないパリの楽しみ方。住んでいる人たちに聞くと、家のあるエリアから離れたところにはあまり行かず、自分のエリア内で生活している

とよく話してくれます。

　サン=ジェルマン・デ・プレ（Saint-Germain-des-Prés）の近くに泊まれば、気軽に老舗カフェ、ドゥマゴ（LES DEUX MAGOTS）やカフェドフロール（Café de Flore）で、コーヒーとオレンジジュース、クロワッサンかバゲットがセットになった朝食、プティ デジュネ（petit déjeuner）を食べて、ここに集った文化人たちに思いを馳せたり。サンマルタン運河（Canal Saint Martin）のあたりに滞在すれば、活気あるショップが立ち並んでいるから、今のリアルなパリを感じることができる。

　一般家庭のゲストルームに滞在するシャンブル・ドット（Chambre d'hôte）を利用したこともありました。片言のフランス語で聞くところによるとリエージュ（Liege）にあったオスマン様式のアパルトマンは日本でいうところの重要文化財とのこと。だからなのか、エレベーターが故障していて、6階まで階段で昇り降りは大変だったけれど、入口で暗証番号を押して、アパルトマンの大きな扉を開けて入っていくのは、住んでいる人みたい！　とうきうきしたのを覚えています（笑）。

　パリは迷子になるのも楽しい街。リュクサンブール公園（Jardin du Luxembourg）の近くにあった、日本でも人気のA.P.Cを目がけて歩いていたときのこと。見つけられず、偶然に入ったお店が「ティヤマイパリ（T. yamai paris）」という日本のセレクトショップにも並ぶブランドで、バイヤーになった気分を味わえたり。気軽に入ることのできる小さなギャラリーもよくあって、道がわからなくなりきょろきょろしていたら、　愛用していた「クオバディス（QUOVDIS）」の手帳を手がけるフランス人アーティスト、ベン・ヴォーティエ（Ben Vautier）の展覧会に遭遇したこともありました。

　パリは通りが縦横無尽に走っているけれど、番地はセーヌ川の流れに沿って大きくなるし、セーヌ川に近いほうが奇数で反対側が偶数と決まっている。迷子になっても冷静に通り名と番地を見れば軌道修正できるはずなんですが、そうはうまくいかないことも。ただ、バス停もメトロの駅も少し歩けば見えてくるので、本当に困ることはないし、今となってはGoogleMAPがあるので、迷子になることも減ってしまって、なんだか寂しいような気持ちもあります。

　街の事情やカルチャーについては、どんどん詳しくなっていったものの、フランス語はちっとも上達せず、いつまでも片言、何なら年齢を重ねると前回まではするっと出ていた言葉も出てこなくなってしまう。でも、そんなたいしてフランス語を理解できていないであろう日本人の私にも、話しかけてくるパリの人たちがとても好きです。もちろん長く話し込むようなことはできないけれど、お土産に買ったパトリック・ロジェ（Patrick Roger）のチョコレートを持っていたら、すれ違ったマダムから、いい選択をしたわね！と声を掛けられたり。

　バス停のベンチで隣り合ったおばあちゃんに日本の桜のことを聞かれ、いかに美しいかを話したことも。ビストロでワインを頼むときに適当に指さした私に、ちゃんと味わってから決めなさいと全種類を細かく説明をしながら試飲をさせてくれたマダムもいました。どうせ言葉がわからないだろうからとコミュニケーションを取らない、なんてことはない彼らから、少しだけパリジャン、パリジェンヌの"らしさ"に触れることができた気がしました。

　初めてパリジェンヌという言葉を知ってから、すでに30年は経っているけれど、パリに憧れて惹かれる気持ちは薄れるどころか、むしろじわじわと熱量は上がっている気すらしています。でも、それがなぜなのか、いまだによく自分でもわかっていません。

　パリの人らしい、変わらない自分のスタイルを持っているところに憧れる気持ちもあるけれど、日本のフットワーク軽く、いろいろなトレンドを取り入れるところも決して嫌いじゃないし、むしろ好き。いまだに人種差別や嘲笑に遭遇することもあり、理解に苦しむこともあります。それでも20年以上パリ特集の雑誌を買い続け、少し休みができそうだなと思えば、実際に行くかどうかはさておき、アプリでパリ行きのチケットを検索。GoogleMAPに次に泊まりたいホテルや行ってみたいお店にチェックをつける。東京にいるのに、同じパリ好きに会えば、あのエリアがどうで、この店が可愛いよねと話し込む。自分でもバカみたいだなと思うこともあるけれど、どうしてもパリが好きという事実は変えることができません。せめて、その思いの所以を解き明かせたら……と思い、またパリ行きのチケットを検索してしまうのです。

HIROMI OTSUKA

ファッションコーディネーター
大塚博美

おおつか・ひろみ　28歳でパリへ移住
して、日本のセレクトショップのバイイ
ングの仕事を始める。その後はパリを中
心に各国でファッション撮影のプロデュ
ースやパリコレに挑戦する若手デザイナ
ーのサポートも手掛けている。現在は、
8年前に結婚した夫とともに東京で暮ら
し、近年は東京にいる時でもリモートで
パリでの撮影をコーディネートをしたり
多拠点の暮らしの幅が広がってきている。

———
HIROMI OTSUKA

　私がパリへ行ったのは苦労するため。人にも仕事にも恵まれていて、このままじゃ私は何の苦労もしないまま、年を取ってしまう。そんな危機感から28歳のときにパリに行くことにしたんです。

　パリに行く前は、熊本のセレクトショップやレイビームスで働いていました。あるとき、福岡にあるセレクトショップの方から、パリで情報収集などしてくれる人を知らないかと聞かれたんです。ちょうど向いていそうな友達が住んでいたから連絡してみると来月には日本に帰国してしまうと言われて、そのときに〝私が行ってもいいのでは？〟と思いついたんです。

　当時はいい時代だったので、勤めていたセレクトショップのオーナーが「ファッションの仕事をしているんだし、パリコレを見ておいで」といって旅費を出してくれたこともがあって。いま思えば、すごいメンバーと贅沢な経験をしました。ユナイテッドアローズの重松理さんや聖林公司の垂水ゲンさんたちと一緒にパリコレを見て、夜はファッション業界のパーティへ。華やかな世界でしたね。夫が

以前、ロンドンで仕事をしていたこともあって、彼を訪ねるときはパリにも立ち寄って。何度か行ったことがあったし、フランスの文化にも傾倒していたから、好きな街で苦労できる、またとないチャンスだと思って手を上げました。

　パリに行けることにはなったものの、服をさんざん買ったローンを返済したら手元には3万円だけ。餞別に母が3万円、祖母が10万円くれて、合計16万円と荷物を詰めたバッグひとつでパリに旅立ちました。

　パリへは苦労がしたくて行くのだから、家は最初に見つけた安いところにしようと決めていました。掲示板で探して連絡を取ると「女の子はダメ。見ても絶対に借りないから」と内見すら断られたんです。だから「内見のカギを借りるときに契約するから」と宣言して何とか借りられることに。でも、行ってみたら、確かにすごい部屋でした（笑）。モンマルトル（Montmartre）地区のピガール（Pigalle）駅の近くで、ホテルのシングルルームのような細長い部屋。奥に小さなキッチンがあって、あとはベッドとシャワースペースだけ。トイレは廊下の共同のものがひとつ。でも、それが詰まっていて使えないんですよ。さらには部屋の天井や壁が狂ったように黄緑色に塗りたくられている。強烈な部屋でしたが、借りると言ってしまったし、苦労するためにという希望が叶ったと思って（笑）、部屋作りを始めました。

　DIYが揃っている「ベーアッシュベー（BHV）」に行ってペンキや電球を買い、蚤の市では50年代のヴィンテージのカーテンや小物を揃えて。「ポンピドゥー・センター（Centre Pompido）」に寄ると、

黒と黄緑とピンクで描かれたマチスのポスターがあったんです。所
持金も少なかったからできるだけ使いたくなかったけれど、これを
貼れば黄緑の壁があえて塗ったように見えるなと思って買いました。
自分の好きなものを少しずつ買って部屋を作っていくのは楽しかっ
たですね。ちなみにトイレは、ひとつ上の階に住んでいた親切な人
が、その階のトイレの合鍵を作ってくれて無事解決しました。

　フランス語をちゃんと話せるようになりたいと思って、語学学校
にも行き始めました。でも、当然ですが、いるのはフランス語を話
せない人だけ。日本人もいたから授業以外は日本語もしゃべってし
まう。これでは意味がないと思って、学校は1カ月くらいで辞めて、
それからは街のカフェが私の語学学校になりました。のちに大ヒッ
トするフランス映画『アメリ』で有名になったモンマルトルの「カ
フェ デ ドゥ ムーラン（Cafe des 2 Moulins）」が私の行きつけ。こ
こで出会う人たちと話してフランス語を少しずつ覚えていきました。

　2年くらい経ったときに、"アメリ"のカフェで知り合った人に
紹介されて、同じモンマルトルの「ヴィラ・デ・プラターヌ（Villa
des Platanes）」に引っ越しました。高い柵に囲まれていて、大き
な扉を開けると、お城のような建物があり、外とはまるで別世界。
アーティストたちが住んでいて、中庭には世界的に有名なフォトグ
ラファーのパオロ・ロベルシの事務所も。ヴィラの中心の階段は
『地下鉄のザジ』という1960年のフランス映画のロケ地でした。何
より部屋も素敵で、5年くらい住んでいましたね。

　その頃から、日本にいる友人のスタイリストに頼まれて、コーデ
ィネーターの仕事も始めました。最初はちょっとした現場のお手伝

いでしたが、徐々に依頼も増えて、2000年代に入った頃にコーディネーター専業になったんです。

　最初に手伝った現場で「コーディネーター、向いてるんじゃない？」と言われましたが、コーディネーターの仕事にはアクシデントやトラブルはつきもので、どう切り返すかが腕の見せどころ。確かに私は思いもかけない出来事を楽しんで乗り越えようとする性格。当時はよくわからなかったですが、結果30年以上しているんですから、向いていたのかもしれません。

　長く住んだモンマルトルを離れて、モントルグイユ通り（Rue Montorgueil）のエリアに引っ越しました。ここは"パリの胃袋"といわれる食が充実したエリア。カフェやレストランで新しい仲間ができ、いろいろ教えてもらいました。そのときの知識は、コーディネーターの仕事にも生かされています。

　教えて欲しいから友達になるわけではないけれど、交友は大切だなと実感しています。モンマルトルにしてもモントグルイユにしても、彼らとの出会いがなければ、今の私はいなかったでしょうから。

その後は3区のノートルダム・ド・ナザレ通り（Rue Notre Dame de Nazareth）に。ここはモロッコテイストのインテリアで、自分でもとても気に入っていて、日本の雑誌にも取材してもらったこともあります。その後、コロナ禍の2021年に引き払い、大切な家具と食器だけを小さなストゥーディオに移し、今はここがパリの拠点になりました。

というのも、紆余曲折あって2007年に東京に住むパートナーと結婚したこともあり、年齢的にもこれ以上忙しくは働かないだろうと思って、拠点の比重を東京にしたんです。ファッションウィークの前後を1、2カ月をパリで過ごし、あとは日本に来る外国のチームの撮影をコーディネートしたり、他の国での撮影を手配したり。

以前から、パリで日本の撮影チームが快適にいい仕事ができるように、東京で外国のチームに素晴らしいロケーションを紹介できるように腐心していたので、私はパリも東京もどちらの魅力も知っているんです。だから、30年以上住んでいたパリを離れて、東京に拠点を移すのもまったく嫌じゃなかったし、東京にもたくさん友達がいるから、今まで知らなかった東京に連れて行ってもらったりとても楽しんでいます。今はどちらにも片足ずつという感じ。だから、私は人生を2倍楽しんでいるなってよく思っています。

結局のところ、パリで苦労をしたかといえば……しませんでした。ここでは話せないようなとんでもない出来事もありましたが（笑）、予想できる未来より思いもよらないことが起こる人生がいい性分だから、辛いと思うよりも前に楽しんでしまう。だから今後もどうなるのか私にもわかりませんが、きっと楽しんじゃうでしょうね。

YUYA NAKATA

「ポステレガント」
クリエイティブディレクター
中田優也

なかた・ゆうや　名古屋学芸大学在学中
に渡仏し、アカデミー・アンテルナショ
ナル・ド・クープ・ド・パリ（Académie
Internationale de Coupe de Paris）に通い、
卒業後はルッツヒュエル（LUTZ
HUELLE）でスタージュを経験。帰国後、
2011年に名古屋学芸大学を卒業し、
2013年に文化ファッション大学院大学
を首席で修了。オンワード樫山のベイジ
,でデザイナーの経験を経て、2017年に
ポステレガント立ち上げる。ブランド名
には、時代や場所を超えた、次の（ポスト）
エレガンスを作っていきたい、というメ
ッセージが込められている。2019年に
はTOKYO FASHION AWARDを受賞。

YUYA NAKATA

　小学校の卒業文集に書いた将来の夢は「自分のブランドを作って
デザイナーになる」。そこからまったくブレずに、大学時代にパリ
に留学し、7年後には自分のブランド「ポステレガント」を立ち上
げました。

　3歳年上の姉がいて、子どもの頃から一緒に『Zipper』や『CUTiE』
などファッション雑誌を見ていました。おそらく、雑誌でデザイナ
ーという仕事を知ったんだと思います。高校生になり、具体的にデ
ザイナーになるための進路を考えたときに、パリに留学したいとい
う漠然とした目標があり、それを実現させるため、留学制度のある
名古屋学芸大学に進学しました。

　デザイナーを目指して留学というと、ロンドン、ニューヨーク、
アントワープなどもイメージがありますが、僕がまず学びたかった
のは、デザインではなくパターンメイキングという型紙作りの手法。
それもオートクチュールメゾンでも使われている立体裁断のテクニ
ック。それが叶うのが、パリにあるアカデミー・アンテルナショナ

ル・ド・クープ・ド・パリ（Académie Internationale de Coupe de Paris）だったのです。

　僕がポステレガントで作っているのは、見た目にインパクトや派手さのある服ではなく、実際に触れたり、着てもらったときに価値を感じてもらえる服。留学当初から明確にイメージできていたわけではありませんが、デザインではなく、まずパターンを学びたいと考えていたというのは、確実にいま作っている服に通じるところはありますよね。

　無事に留学することになり、約1年のパリ暮らしが始まりました。住んでいたのは、日本人夫婦が経営している下宿。ごはんが出てきて、近くのスーパーの場所も携帯電話の借り方や使い方、暮らしていくための術を彼らが全部教えてくれました。下宿先には、僕の部屋の他にもう二部屋あり、留学やら遊学やらさまざまな目的でパリにやってきた日本人が住んでいたし、過去に住んでいた人たちもよく遊びにきていたので、とても賑やか。限られた留学期間の中で目一杯学びたかったので、生活をサポートしてもらえたのも、慣れない街で孤独になることがなかったのも本当に助かったなと思っています。フランス語に関しては、1から10も言えない状態での留学だったので、よく一緒に勉強してもらっていました。フランス語の単語が書かれたカードがあって、それを見て答えていく……というのを夜な夜なやっていました。

　学校はメトロの8番線にあるバラール（Balard）という駅にあり、下宿からは1本で通える場所。歴史のある学校で、先生方はシャネルなどオートクチュールメゾンでも教えているような人ばかりで授

業についていくのに必死の毎日でした。そんな中でも少しずつパリの生活も楽しめるようになり、学校帰りに友達とポンデザール（Pont des Arts）でワイン片手にピクニックをすることも。橋を渡ろうとする人が困るくらいにたくさんいて、最初は驚きましたが、自由に日々を謳歌するパリの人たちの姿はとてもいい光景でした。

あるときはフランス人の画家のおじいさんを紹介されて、毎週日曜日に絵のモデルをしたこともありました。蚤の市のあるクリニャンクール（Clignancourt）の近くにあった画家の家は、なかなか出会うことのない大豪邸で物珍しさもあり、ちょっとした楽しみでもありました。ただ、2時間近く同じポーズを取っているのはかなり辛くて「Je suis fatigué（疲れました）」とよく口にしていました。すると画家のおじいさんは支えになる台をさっと出してきてくれる。　おかげで「Je suis fatigué」は今でもいちばんうまく発音できるフレーズかもしれません。帰りは疲れ果ててお腹も空いているけれど、日曜日のパリは閉まっているお店も多くて、だいたいケバブを買って帰ったのをよく覚えています。

完成するまで絵は見せられな

いと言われていましたが、結局その後も一度も絵は見せてもらうことのないままにモデルは終了。余談ですが、その絵がステンドグラスになり、今はロシアの教会に飾ってあるらしくて。いったい僕はどんなふうに描かれていたのだろうかずっと気になっていたので、いつか見に行ってみたいなと思っています。

日本の大学も卒業しなくてはいけなかったので、半年で学校を卒業して、半年のインターンを経て帰国。デザイナーとして独立してからは、毎年1月～2月と、6～7月のファッションウィークの時期にパリを訪れるようになります。

当初はファッションといえばパリという理由だけで住んだパリでしたが、今となっては自分の服を発表する場にしていますし、好きな街は？　と聞かれれば「パリ」と即答するほど思い入れのある街になりました。同時に行くたびに実家に帰ってきたようなほっとした気持ちにさせてくれる街でもあります。というのも、生まれ育った岐阜の次に住んだのがパリ、その後に東京という流れもあり、パリは僕にとっては第二のふるさとという感覚なのです。

だからなのかパリに行っても特別なこと、パリらしいことはあまりせずに普段と変わらない生活をしています。朝起きたらカフェ「テンベルズ（Ten Belles）」でコーヒーを買って、サンマルタン運河（Canal Saint-Martin）のあたりを散歩。いろいろ試したけれど、ここのコーヒーがいちばん好きです。滞在期間中に必ず一度は食べ

に行くのは「ル ラック ドゥ ルエスト（Le lac de l'ouest）」の肉鍋。これもなんだかあまりパリっぽくない気もしますが、本当においしいのと、僕にとってはみんなでわいわい鍋つつくのは、下宿時代を思い出させてくれるからなのかもしれません。

　左岸にある百貨店「ボン マルシェ（Au Bon Marche）」はいつもくまなく回ります。今のファッションがわかる大好きな場所で、いつかここに自分のブランド「ポステレガント」の服を置きたいと思っています。

　20歳で留学して住んだパリの街は、今は仕事の場になりましたが、印象は当時も今もあまり変わりません。好きなところは、パリの人たちの"適当さ"。そこに人間味を感じます。服装にしても考え方にしても、端から"それはありえない"と否定することはないんですよね。"キミはそれがいいんだよね"と受け入れてくれる懐の深さもある。そして人間関係の距離感の取り方が本当に心地いいなとよく思っています。個が確立しているからこそ、踏み込んで来ることはないけれど、興味がないわけではなくて、関心は示した上でちょうどいい距離を保ってくれるんです。

　嫌なところは、きっと誰もが住んだことのある人なら全員が経験しているであろう手続きの面倒くささ。日本なら1時間もかからないようなことが1日仕事になるのはザラだし、どんなにこちらが焦っていたとしても、絶対に彼らは自分のペースを崩しません。嫌ではあるけれど、その姿勢はある意味で好きなところと表裏一体。パリに魅了されたのならセットで考えるしかないところなのかもしれませんね。

shuco

ヘアスタイリスト・毛髪診断士
shuco

しゅうこ　東京でのサロンワークを経て、2007年から2016年までフランス・パリを拠点に各国のモード誌などで活躍。拠点を東京へ移し、ヘアスタイリストとして活躍する傍ら、毛髪診断士としての根本的な髪の美しさを啓蒙する活動も始める。また、2020年にヘアアクセサリーブランド「TRESSE」やライフスタイルブランド「SUMIDAY」のディレクターとしてヘアプロダクトなどの開発をしている。

　いつかは海外でヘアメイクの仕事がしたいと思っていました。た
ぶんニューヨークかロンドンだろうと英語も勉強していて、パリは
選択肢になかったんです。でも、のちに師匠になるトモヒロ・オオ
ハシと知り合い、たまたまパリの仕事現場を見せてもらったときに、
パリでヘアスタイリストになるという道が決まりました。

　当時の私は美術系短大を卒業して、美容室で働きながら美容師の
免許を取ろうとしているところでした。子どもの頃からファッショ
ンやヘア＆メイクに興味はあって、映画に携わる仕事はどうだろう
とか考えていたこともありました。高校生の頃にはメイクアップア
ーティストのケビン・オークインの作品集を見て、進むべき道はファ
ッションのヘア＆メイクアップだと確信。学生時代には少しでも
仕事の糧になればと思い、写真や映像も勉強したり、アルバイトで
イベントやショーを制作のお手伝いをしていました。

　そんなときに美容室の研修で師匠と出会いがあり、ファッション
の世界のヘアスタイリストが私の進みたい道だと確信しました。よ

くよく考えれば、語学の問題で選択肢に入れていなかったけれど、ファッションの世界で仕事をするならブランド数も圧倒的に多いパリなんですよね。それに、師匠を会うために1週間だけ旅行でパリに行ったときに、「私、ここに住めるな」って直感したんです。

　美容師の免許が取れたところで美容室を辞めてパリに行き、運よく師匠のアシスタントにもなることができました。数年後には私にも少しずつ仕事が来るようになり、ある世界的なフォトグラファー

との仕事をきっかけに、フランス版やイタリア版の『ヴォーグ』を始め、各国のモードファッション誌でも仕事ができるようになってきました。

　ただ、充実はしていたけれどプレッシャーも大きく、月の半分は各国を行き来する生活は心身ともに負担もありました。師匠に相談したところ、「一度、日本でも仕事してみたら?」と提案されたんです。確かに私は日本でひとり立ちする前にパリに来たので、日本ではヘアスタイリストとして仕事をしたことがありませんでした。そして、その頃には目標にしていた媒体での仕事も叶っていたこともあり、東京の事務所にも入って、拠点を移すことにしたんです。

　最初はパリと東京、半々で仕事をしていました。コロナ禍を経て、最近はヘアスタイリストだけでなく、毛髪診断士、ヘアアクセサリーのディレクションなど、東京での仕事の幅が広がったこともあり、

---

shuco

メインは東京で年に数回パリにいく生活に落ち着いています。

　ヘアアーティストとして仕事をするために住んだパリでしたが、いちばん影響を受け、学んだことは、人生の楽しみ方だった気がします。中でも豊かな食事の時間をたくさん持てたことはとても幸せでした。

　当時のパートナーだったフランス人の彼とその家族もホームパーティーが好きで、よく招かれていました。家の近くの山を散歩するところからディナーがスタート。帰ってきたらお庭でちょっとつまんで、そのあとに本格的な食事が始まります。少しずつ場所を変えたり、レストランのようにテーブルセッティングしたり、ゲストに楽しんでもらう工夫が随所にあり、アミューズからデザートまですべて手作り。ゆっくり時間をかけて、食事を楽しむ文化を教えてもらいました。

　パリの東側にあるヴァンセンヌの森（Bois de Vincennes）まで歩いていけるところに住んでいたときは、週末のたびに森の中の湖畔でピクニックをしていました。住んでいるのは街中なのに、少し行くと大自然がある。その環境が本当に心地よくて大好きでした。東京に戻って来てからも似た環境で暮らしたいと代々木公園の近くに住んだこともあったんですが、なんだか違ったんですよね（笑）。

　ちょうど私もヘアスタイリストとして忙しくなってきた頃には、シェフの友人たちも店を持つようになり、少しずつレストランでの食事も楽しめるにようになってきました。収入の多くをファッションや美容ではなく、圧倒的に"食"に費やしていました。

　というのも、ファッションは仕事場で、モードでかっこよくて個性的なものをたくさん見ていたのでお腹いっぱい（笑）。だから、自分はごくごくシンプルがよかったし、美容は構わないくらいがかっこいいと思っていました。髪もバサッとした感じが好みだったので、あえてトリートメントもしていなくて。"食"が大好きだったこともありますが、当時の私にはファッションと美容はお金のかけどころがなかったんです。

　ビストロからレストラン、ガストロノミーまで、いろいろなお店に行き、自然と仲間もたくさんできました。彼らとワイン会をしたり、一緒にコペンハーゲンまで食の旅をしたこともありました。それこそフランス人だけじゃなくて日本人含めて、各国の人がいましたし、バックグランドもさまざま。でも、みんな目線を変えずにフラットに付き合うんですよね。その姿勢は、仕事の場面でも感じていました。アシスタントだった頃から、一度も無下に扱われるようなことはなく、みんな対等。それもパリに住んでいて心地よいと感じることでしたね。今もパリにいくと尋ねるのは、20区にある「メゾン（MAISON）」。住んでいた頃に、よく行っていたお店でシェフをしていた渥美創太くんが開いたレストランです。彼の料理が大好きなので、滞在期間が短くても必ず1回は行くお店です。

　ライフスタイルでいえば、サスティナブルの考えが浸透しているところも好きでした。ラップは使わないし、マルシェなら個別包装もなし。エコバッグも当たり前です。インテリアにしても新品よりも蚤の市や譲りうけたものを使う、リサイクル精神が根付いていました。よく道端に家具が置かれていることがあって、拾ってきて私も使っていましたし、私も使わなくなったものは譲っていました。

私の部屋は、ヴィンテージに加えて、仕事で行った国々で買ってくる、現地にしかないものがミックスして置かれている空間。フランスらしいミックスカルチャーが好きだったので、その感覚をインテリアにも取り入れていました。それは日本に戻ってきた今の家にも引き継がれています。ホームパーティーやピクニック、家具のリサイクルにしても、パリではお金があってもなくても、生活を楽しみ、充実させることができるのが素晴らしいなと思っていました。

　実際にパリの人たちはお金の有無に関係なく、夕方に軽くお酒を飲むアペロ（Apéro）はしても、頻繁にディナーに行くことはありません。何か特別なことがあるときは、人を招いてディナーしたり、

外食することはあるけれど、普段の夕食は家だしとっても簡素。すごくメリハリがあるんですよね。

　日本はライフスタイルを充実させようとすると、どうしてなのか何かとお金がかかってしまう。もちろんパリとの日本では環境や前提になる部分が

違うということはあるけれど、リサイクルの精神や誰とでもフラットに付き合う姿勢は素晴らしい。少なくても私は、住む場所が東京に変わったとしても、パリで学んだことは大切にしていきたいなと思っています。

KANOKO MIZUO

「VASIC」クリエイティブディレクター

Kanoko Mizuo

みずお・かのこ　美容師を経て留学した
パリで、世界的ヘアアーティストと出会
い、師事。その後、ニューヨークに移住
し、パリと行き来しながらヘアスタイリ
ストとして活躍。2015年にバッグブラ
ンド「VASIC（ヴァジック）」を立ち上げ
クリエイティブディレクターに就任し、
人気ブランドへと成長させる。

Kanoko Mizuo

　パリに住むことになったのも、いまニューヨークにいるのもすべては人との出会いがきっかけです。

　もともとヨーロッパに憧れがありました。とはいっても漠然と思うだけで、特に留学したいとか何か具体的に思い描いていたわけでもなくて。学校を卒業して美容室でヘアスタイリストとして働き始めて数年が経ったとき、長期でヨーロッパを旅することにしたのです。それが23歳のとき。

　イタリアとフランスに行って各地を観光する中で、パリに住むたくさんの若者たちに出会い、自分がいかに無知で何もできないかを思い知りました。数年間、夢中で働いてはいたけれど、私が見ていたのは日本の美容師の世界だけ。ひとりで生活したこともありませんでした。

　パリという街の美しさにも感動はしましたが、住んでみたいと強く思ったのはパリに住む人たちとの出会いがあったから。彼らが切磋琢磨している姿が羨ましくもあり、勇気づけられた私は、旅行中にパリへの留学を決めて、語学学校を調べて手続きを開始。日本に帰国してすぐに「1年だけ留学したい」と両親を説得して、またパリへと戻ってきました。

　最初に住んだのはパリ18区にあるモンマルトル（Montmartre）で、美しい白亜の聖堂があるサクレ・クール寺院（Basilique du Sacré-Cœur）のすぐ近く。次に住んだのは、もう少し中心地のシャトレ（Châtelet）のあたりでした。同じパリの街にあるのにふたつのエリアはかなり雰囲気が違っていて、モンマルトルは、昔から芸術家たちが集い、風情溢れる街並みで、シャトレは現代的で活気があり、賑やか。

　毎日が刺激的で楽しく、あっという間に数年が経っていました。そろそろ帰国かなと思っていたとき、のちに私の師匠となる世界的に有名なヘアアーティストに出会ってしまったのです。日本での美容師時代の経験があり、たまたまサポートで入らせてもらった現場で、彼の素晴らしい才能と環境を目の当たりにし、彼の元で仕事がしてみたい！　と勝手に決心（笑）。彼はフランス人でしたが、拠点はパリとニューヨーク。当時、ファッション撮影のメインはニューヨークだったこともあり、私も単身ニューヨークへ行くことにしたのです。

　結果からいえば、15年以上師匠の元で仕事を続け、ヘアスタイ

リストとして仕事も軌道に乗り、さらにはバッグブランドのディレクターとして活動することになって、今も住んでいるのだから、ニューヨークが合っていたのでしょうね。

　ニューヨークに拠点を移してからは、年に4回パリコレに行き、フランス人の師匠とともにランウェイや撮影の仕事をするようになりました。実は、行き来する生活が始まってからのほうが、パリのパリたる所以というか真髄を知ることできたように思います。

　彼は世界的なヘアアーティストなので、クライアントはすべてビッグメゾン。住んでいたときには入ることすらなかったメゾンブランドの本社に行き、仕事終わりの食事ではトラディショナルなフレンチを食べて、フランス文化を教えてもらいました。出会う人も吃驚するほどの大物ばかりでしたが、そんなときの立ち振る舞いも師匠から学びましたね。私にとってはパリ=師匠。教えてもらったクラシックで優雅なパリの魅力の虜になっていきました。

　今もパリに行って食事をしたいなと思ったときに、まずパッと頭に浮かぶのはマレ地区（Marais）にある「カミーユ（CAMILLE）」。鴨の胸肉マグレ　ド　カナール（Magret de Canard）がお気に入りです。チョコレートは、「ジャン=ポール・エヴァン（JEAN-PAUL HÉVIN）」や「パトリック・

ロジェ（Patrick Roger）」。紅茶も好きで、「マリアージュ フレール（MARIAGES FRÈRES）」のマレ地区（Marais）にあるサロン・ド・テ（Salon de Thé）もよく訪れます。「ダマンフレール（DAMMANN FRÈRES）」はヴォージュ広場（Place des Vosges）にある本店がやっぱり別格の雰囲気。サントノレ通り（Rue Saint-Honoré）を歩き、「アンジェリーナ（ANGELINA）」でモンブランをいただきながらお茶をするのも楽しみにしている時間です。クラシックで王道なパリ。それが私の定番です。

また、仕事でパリと行き来するようになってから、香りをアイデンティティとして大事にする感覚も学び、共感しました。

きっかけはヘアアーティストの師匠が定期的にキャンドルを買っていたこと。彼は、日本でも人気の「ディプティック（Diptyque）」

をはじめ、いろいろなブランドのキャンドルを集め、クリエイションのための環境を香りで整えていたのです。そして、撮影のプロダクション会社も、セレブリティそれぞれに"彼女（彼）はこの香り"というものをバックステージに用意していました。また、パリの街を歩けばブティックにはそれぞれの香りがあり、ブランドやお店が体現したい世界や個性を感じ取ることができます。このように香り

で空間を演出する文化にとても感銘を受け、それはその後の私の人生にも大きく影響しています。

　ニューヨークは、パリとは違い、都会の匂いはするものの、香りがあまりないことに気づきました。そこで、ヘアアーティストの師匠との仕事と並行して、プライベートサロンを開いたとき自分の空間の香りを作ることに。お客様に香りでサロンを記憶してもらえるよう、もてなしの場を香りで表すことにこだわりました。

　その後、オファーがあって始めたブランド「ヴァジック (VASIC)」のバッグデザインの仕事でも、香りの力に助けられています。香りにインスパイアされてアイテムのデザインやカラーにまつわるストーリーを組み立てることが多いですし、私にとっては香りを選ぶのもバッグを組み合わせるのも同じ感覚。それらを纏い、手にするその瞬間に、新たな自分を知る感覚が私は心地いいと思うのです。

　バッグのデザインをするのは初めてではありましたが、師匠のおかげでファッションの世界も垣間見ることができましたし、香りに対する感性も身につけることできた。もともと物作りが好きだったこともあり、それらすべての経験が糧になって「ヴァジック」というブランドの今があると思っています。

　生まれ育った東京の街も大好きですし、20年近くニューヨークを拠点にして、ヘアアーティスト、ブランドのディレクターという職業にも出会えました。住んだのは数年で、その後は仕事で訪れる場所になりましたが、それでも行くたびに素敵な街だなあと思わせてくれる。パリは、いつまでも私にとって特別で、大好きな街です。

TAKAKO SHIRASAWA

ファッションエディター・
クリエイティブディレクター
白澤貴子

しらさわ・たかこ　10代の頃からファ
ッション雑誌の編集に携わり、現在は雑
誌やウェブ、広告のディレクション、ブ
ランディング、アドバイザーなどを精力
的に行う。20代半ばで約2年半のパリ
暮らしを経験。ヴィンテージをこよなく
愛し、趣味は乗馬。中学生の息子の母親
でもある。

　「1年に7回フランスを行き来し、必ずパリにも寄っていた」というと、どれだけパリが好きなんだと思われるかもしれません。でも、その答えはイエスでありノー。そもそも私は、パリというかフランス人が大嫌いでした。

　小学校から高校までフランス語教育のある学校に通っていたのですが、教えてくれていたフランス人の先生方の感情の起伏の激しさといったら。誤解を恐れずにいうなら、子どもだった私には、ただのヒステリーとしか映りませんでした。おかげでトラウマになり、12年間もフランス語を学んでいたにも関わらず、大学での第二外国語はフランス語ではなく中国語を選択し、海外旅行もアメリカを始め、英語圏ばかり。

　そんな私が20代半ばで2年半パリに住むことになるのです。大嫌いなフランス人がいるパリへなぜ？　と思いますよね。でも、それが理由です。大嫌いな人たちがいる大嫌いな国だから。

東京で生まれ育った私は、いつも誰かが助けてくれる環境にいて、ひとりでゼロから何かを築いたことがなく、それがコンプレックスでした。自分以外に頼れない環境に一度身をおいて頑張ってみたいと考えたときに、いちばん嫌いなフランスに行ってみようと思いつき、パリに住むことにしたのです。嫌いな国でどれだけ自分はサバイブできるのだろうか。ライオンのいる檻の中に自分を投げ込むような気分でした（笑）。

最初の1カ月はホームステイ。ホストは上品な老夫婦でした。おそらくかなり裕福な家でしたが、わかりやすく贅沢するようなことはなく、暮らしぶりは質素。でも、一緒に生活するうちにあることに気づいたのです。生まれ育った実家の考え方にこのフランスの老夫婦はとても近いと。生活のひとつひとつの行動がとても丁寧で、愛おしさが溢れているのです。たとえば夕食に出てくるチーズは、しっかり吟味して選ばれたもので、丁寧にスライスして、欲張ることなく大切そうに少しずついただく。テレビを観るのはあらかじめ決めているお気に入りの番組だけ。終われば、テレビを消し、置いてある棚の扉を閉じる。"なんとなく"や惰性がなく、意志があり、ひとつひとつの行動は愛おしさに溢れていました。家の中を見渡せば、新しい家具はないけれど、しっかりと手入れされ、長く大切に使っていることが私にもわかりました。それはその老夫婦の暮らしだけなく、街全体にも、そしてそこに暮らす人にも感じました。

我が家の母がまさに同じように「しっかり自分で選んだいいものを大切に長く使う」人で、子どもの頃は正直なところ"貧しい暮らし"だと思っていたフシがありました。でも、異国の地で、母と同じように生活する人たちに出会い、一歩引いて、冷静に見たときに、

それはしょうがなくしていることでも何でもなく、むしろ日々の楽しみであり、最高の贅沢なのだとわかってきたのです。

　子どもの頃はただのヒステリーにしか見えなかったフランス人の感情の起伏も、時には本当に本当に厄介ではあるけれど、ルールより自分の心を最優先する姿は、なんて人間らしいことか。そのことに気づいたら、あっという間に"人間らしい"その環境が私にとっても呼吸のしやすい、心地よいものになっていきました。

　2年半のパリ暮らしを経て、日本に帰国してからは、行き来する生活が始まります。当初は1カ月以上のバカンスがなければパリへ行く意味がない、なんてフランス人のようなことを考えていたのですが、東京での働き方だとそんなことは到底無理（笑）。でも"ホームシック"になってしまい、思い切ってほんの少しだけ休みを作り、3泊5日でパリへ。

　いざ行ってみると、3泊5日という短期間であっても、すっかり自分を満たすことができました。たった3泊で一体に何をするために行くのかといえば"息継ぎ"です。東京での私の働き方や暮らしは、息継ぎなしでバタフライし続けているような状態。もちろん自分で選んだ生き方だし、好きな仕事ではあるけれど、息継ぎなしには限界がありますよね。私にとって息継ぎができる場所が、心のままに人間らしくいられるパリなのです。短期間でも大丈夫だと気づいてからは、少し休みが作れそうになったら短期間でもパリへ。仕事で訪れることもあり、気が付けば、コロナ前までは年に複数回、多いときは年に7回も、まるで国内旅行にでも行くかのように身軽な気持ちで行っていました。

　夜発の飛行機で日本を立ち、早朝にパリに着いたら滞在先に荷物を置いて、すぐにパリの中心、セーヌ川（La Saine）に浮かぶシテ島（Ile de la Cite）あるノートルダム大聖堂（NotreDame deParis）へ。近くのサン・ミッシェル橋（Pont Saint Micheal）から、朝焼けの空、セーヌの川面に映り込む朝日、そしてノートルダム大聖堂をから眺めます。その後は、ただただ街を歩きます。途中で気になるショップやギャラリーに入り、歩き疲れたらカフェで休んで。

　東京にいるときは、いつも息継ぎなしの全速力。移動はほとんどタクシーで、歩き回ることはないし、もしカフェで隣り合わせた人に話しかけられても話し込むことはありません。パリに来ると気持ちがオープンになれる。それは息継ぎしに来ているからかもしれないし、思わず話を聞きたくなる興味深い人ばかりだからなのか。だって、パリで出会う人はみんな、"表現者"なんです。プロはもちろん、たとえ会社員だったとしても、写真や音楽、絵、歌……何かしら自己表現する方法を持っているんですよね。

　カフェを後にして再び歩き始めたら、パリでいちばんの老舗百貨店「ボンマルシェ（Le BonMarche）」の食料品店「ラグランデピスリードゥパリ（La Grande Episerie de Paris）」へ。テット・ド・モワンヌ（Tête de Moine）というお気に入りのチーズやヨーグルト、ドライフルーツなどを買い込み、滞在場所に戻ります。夜は買ったものを部屋で食べることもあるし、外食する夜も。お気に入りのジャズバーへ行って、音楽とお酒を味わう日も。

　好きでよく訪れる場所もありますが、ひたすら歩く中で、新しいお気に入りと出会えたらいいな、という気持ちも。クレームブリュ

TAKAKO SHIRASAWA

レが好きなので、偶然入ったカフェでおいしいものに出会えると、それだけで本当に嬉しくなります。自分のためにスーパーマーケット「モノプリ（MONOPRIX）」でアプリコットのドライフルーツを買い、お土産に「シャポン（Chapon）」のショコラを買って……。

そんななんてことない時間を過ごしていると、数日間でも心が満たされていくんです。

　最初にパリが好きかと聞かれたら、イエスでありノーと答えた通り、"好き"というよりは水が合っていたという感じでしょうか。中でも、故郷に戻ってきたような落ち着いた気持ちになれるのは、パリの左岸。右岸はつねに更新し、新しい文化を発信していて刺激的だし、それはそれで魅力。けれど、何もかもが変わりゆく東京で生まれ育った私が求めているのは、いつ訪れても昔からあまり変わることのない美しい街並みがあり、ゆったりとした時間が流れる左岸です。これからもきっと大きく変わることはないだろうなという安心感があり、私にとっては原点に戻ることができる場所でもあります。それほど大きくないひとつの街で、そこまで差があるのかと思われるかもしれませんが、私にとっては大きく違うし、私にとってのパリは左岸。ちょっと極端かもしれないし、面倒くさいですよね。でも、きっとそんな人が吸い寄せられるのがパリという街なんだと思うのです。

編著 **Huîtres** （ユイートル）

本書のプロデュース＆キャスティングを担当するスタイリストの福田麻琴、編集＆ライターの幸山梨奈のユニット。顔を合わせればパリの話が尽きない2人が、同じくパリを愛する人々に取材した一冊。ユニット名は2人の好物の牡蠣。

STAFF

デザイン　細山田光宣＋木寺 梓
　　　　　（細山田デザイン事務所）
写真協力　細山田光宣・太田恵理

寝ても覚めてもパリが好き

PARIS
MANIAQUE

2024年4月5日　初版第1刷発行

発行人　永田和泉
発行所　株式会社イースト・プレス
　　　　〒101-0051
　　　　東京都千代田区神田神保町2-4-7
　　　　久月神田ビル
　　　　Tel：03-5213-4700
　　　　Fax：03-5213-4701
　　　　https://www.eastpress.co.jp
印刷所　中央精版印刷株式会社